Poètes français
des XIXᵉ et XXᵉ siècles

Poètes français
des XIXe et XXe siècles

Préface de Serge Gaubert

CHOIX, COMMENTAIRES ET NOTES
DE DANIEL LEUWERS

Le Livre de Poche

Daniel Leuwers a beaucoup écrit sur la poésie française des
XIXe et XXe siècles. Auteur d'un ouvrage sur Pierre Jean Jouve
(*Jouve avant Jouve*, Klincksieck, 1984), il a organisé des colloques
sur Char, Jouve, Frénaud, Tardieu, Bonnefoy, Senghor (*Sud* édi-
teur), a établi et préfacé des éditions de Rimbaud, Mallarmé (Le
Livre de Poche), Reverdy, Paul Fort (Garnier/Flammarion), et
donne régulièrement des chroniques poétiques dans *La Nouvelle
Revue française*.

Préface

J'écoutais l'autre soir deux jeunes gens parler de poésie. Le premier avouait son indifférence, le second essayait de lui faire partager sa passion : « Tu t'aperçois bien, lui disait-il, que souvent les mots te manquent, ou que ceux que tu trouves pour exprimer une impression ne te conviennent pas, qu'ils sont trop communs, qu'ils ne traduisent pas ce que tu ressens, qu'ils le trahissent plutôt.

— Oui, en effet.

— Alors, que fais tu ?

— Je me tais, tout simplement.

— C'est déjà le commencement du poème. Non, ne ris pas ! Ton silence, si tu y réfléchis, est comme le rêve ou le désir d'une parole. Les poètes connaissent et respectent ce silence. L'un d'eux, Guillevic, dit que ses poèmes sont des « sculptures de silence ».

— Pourquoi, dans ces conditions, ajouter artificiellement des mots ?

— Trouver les mots qui conviennent, c'est obtenir une clef, un « mot de passe ». N'as-tu pas remarqué comme, dans les fêtes ou les cérémonies, on a besoin que quelqu'un se lève et donne expression à la joie ou à la douleur de chacun ? Pour bien vivre une situation, personnelle ou collective, il faut savoir la parler, ou la chanter.

— Les chansons à boire.

— Oui, pourquoi pas ? Et les grands hymnes ou les épopées ; ou encore les comptines pour les enfants. Parfois aussi certaines trouvailles de la publicité. Tu parles d'artifice... Je crois qu'à propos du langage, on perd facilement le sens de ce qui est naturel et de ce qui ne l'est pas. Pour moi, vois-tu, le plus artificiel est celui que nous pratiquons tous les jours et qui se contente de poser sur les choses — ou les situations — des étiquettes toutes prêtes. Plus celles-ci sont simples, réduites, schématiques, fonctionnelles, plus l'échange devient facile, mais aussi plus la réalité échappe. La vérité des choses n'est pas plus présente dans le langage courant qu'elle ne l'est dans les pièces de monnaie ou les symboles de la chimie et de la mathématique. Pour le poète, l'eau est trop vive, trop vivante, pour n'être que de l'eau plate ou seulement H_2O. Il essaie de rendre aux mots le poids des choses et de nous faire ainsi plus proches d'elles et, du même coup, de nous-mêmes.

— C'est si compliqué souvent, un poème !

— Il arrive qu'à première vue le poème paraisse, en effet, un peu plus difficile d'accès qu'un autre texte. Je reviens, si tu permets, à ma comparaison. Sais-tu comment on a rendu l'achat et la vente plus aisés ? Ce n'était pas facile d'échanger contre d'autres valeurs des gros animaux, alors on a représenté sur des morceaux d'argile des têtes de bétail — on avait inventé la monnaie — puis on a imaginé des billets plus légers, puis des chèques, puis des cartes de crédit. C'était de plus en plus commode, mais on se détachait progressivement de la réalité. On n'avait plus affaire qu'à des signes abstraits. Avec le langage, on court le risque du même éloignement. Par souci de commodité, on vide les mots de tout contenu. A cela s'ajoute que le langage, comme la monnaie, s'use, par une sorte d'inflation : il faut des mots de plus en plus nombreux et longs pour véhiculer une même signification. Le poète travaille contre cette dépréciation ; son action à cet égard est essentielle parce que, quand le langage s'use, c'est notre sensibilité qui devient moins fine, et le monde moins accessible. Lorsque le poème nous paraît un peu compliqué, il faut nous demander si la raison n'en est pas que nous sommes, nous, devenus trop simples, frustes, moins sensibles.

— Je reconnais que souvent je voudrais savoir dire au-delà des mots qui me viennent, mais c'est alors la musique, la chanson, qui m'aide, parce que la musique me semble plus proche de moi qu'un poème de Baudelaire ou de Hugo. Comment peux-tu me conseiller à la fois de chercher l'expression la plus personnelle, et de lire des poèmes d'hommes qui ont vécu il y a cent cinquante ans et parfois plus.

— La grande poésie, celle de Hugo ou de Baudelaire puisque tu parles d'eux, est grande d'abord parce qu'elle réussit à être à la fois très particulière et parfaitement communicable. Individuelle absolument et absolument transmissible ; le contraire, en ce sens, de la monnaie qui, pour mieux s'échanger, doit devenir anonyme. Le poète s'approprie sans doute le langage, mais à seule fin de l'affûter, de le décaper ; il le prend pour nous le rendre, nous le tendre, comme l'opticien tend des lunettes mieux réglées au myope. Il refait les réglages, la « mise au point » et il nous dit : « Regardez à votre tour. Le monde vous paraît à nouveau vivant, vibrant, porteur de sens. Vous croyiez avoir déjà, à votre âge, fait le tour de tout, eh bien, avouez que les choses et les êtres autour de vous vous semblent tout neufs. Le monde est autre et il est vôtre. A votre manière, vous qui n'êtes ni Baudelaire ni Rimbaud — mais personne ne ressemble à personne — à votre manière, après les avoir lus, faites comme eux. »

— Tu voudrais que je me mette à écrire des poèmes !

— Peut-être pas, mais que tu te serves de ces poèmes comme de prismes.

— Des prismes après des lunettes...

— Oui, c'est toujours de l'optique. Il s'agit toujours de mieux voir.

— Des prismes pour embellir ?

— Le poète n'essaie pas de nous tromper sur la vérité. Il lui arrive même souvent de nous obliger à la voir telle qu'elle est, alors que nous préférerions garder les yeux fermés. Lis par exemple *Les fenêtres* de Baudelaire ou, pour choisir dans notre époque, les poèmes de René Char et de Michaux.

— J'ai eu tout de même souvent l'impression d'un jeu gratuit, d'un jeu de mots.

— C'est vrai que le poète s'intéresse d'abord aux mots, que, pour parler comme Francis Ponge, il « prend » spontanément « leur parti », il s'attache à leur forme, à leur couleur, à leur sonorité. Pour lui, le poème est d'abord une composition de vocables de même que pour le peintre, le tableau est une composition de taches de couleurs.

— Et la musique une composition de sonorités pour le musicien.

—. Mais même quand il paraît s'être amusé à simplement jouer — je pense à Desnos, à Prévert ou à Jean Tardieu, entre autres — le poète pose de vraies questions au langage, ou plutôt il le fait jouer comme on fait jouer, pour lui rendre de la souplesse, une articulation engourdie. Aucun ne s'enferme dans le langage, aucun — pour retrouver le registre des images commerciales — ne se paie de mots. Ils sont convaincus que le langage est une fenêtre ouverte ou, mieux, un instrument d'optique ; que tout ce qui se présente ne commence vraiment à exister pour nous qu'au moment où nous savons le nommer. Le difficile est de faire que le langage ne trahisse pas la réalité, qu'il rende compte de ce que les êtres et les choses autour de nous sont en eux-mêmes, dans leur secret, leur intimité, et pas seulement de ce qu'ils sont pour nous, dans l'usage que nous pouvons en faire. Le poète essaie de saisir, avec le langage, la qualité propre, la nuance, le plus personnel. Il se place ainsi aux antipodes de tous ceux qui travaillent à convertir les particularités à une mesure commune (commun diviseur, ou multiple, ou dénominateur, peu importe). Eux rêvent d'aboutir à une équation la plus simple et la plus sèche possible ; lui, il mobilise toutes les ressources de la langue, ses inconnues ne se laissent pas algébriquement crucifier sur un X ; il lui faut, pour seulement les poser, tout un luxe d'opérations, tout un poème. »

A quel moment avais-je pris ma part dans cet échange ? Je ne sais plus. Nous étions dans un train, un compartiment fermé, nous étions entre nous. Je m'entendis ainsi faire observer à mes deux compagnons qu'au cours de ce siècle, déjà vieux de près de quatre-vingt-dix ans, la poésie avait constamment balancé, pour trouver son équilibre, entre un engagement dans l'histoire et une réflexion sur elle-même. Entre l'action — au service d'une cause ou d'un idéal — et une attitude plus détachée qui, soit jeu apparemment gratuit, soit recherche formelle apparemment abstraite, n'était pour elle qu'une façon de se retrouver et de se reprendre. Peut-être, leur disais-je, cette double postulation — participation (la poésie dans la rue) et distance (la poésie pour la poésie), expansion et retrait — est-elle comme le battement naturel à la vie des formes, de même qu'à celle des êtres. On

le voit prendre son rythme dans la poésie du XIXᵉ siècle :
d'un côté les poèmes de combat, de l'autre les poèmes de
pure forme (à la recherche d'une forme pure).

Comment ne leur aurais-je pas conseillé la lecture — ou,
mieux, la pratique — d'un livre qui pose, en toute clarté, les
jalons et réunit, selon les choix d'un grand connaisseur du
domaine poétique, des œuvres telles que chacune puisse être
considérée en elle-même et que, prises dans leur succession,
elles dessinent la ligne d'une évolution : des sources de la
poésie moderne à son épanouissement ? une anthologie qui
équilibre la nécessaire et vivifiante partialité d'une lecture
individuelle, par un souci de démonstration point trop
appuyée. Un guide plutôt, mais qui, contrairement aux gui-
des de tourisme ou de gastronomie, comprend, outre la
description des parcours et des recettes, les merveilles à
parcourir et les délices à consommer. Un guide qui tient
— contient — ses promesses. Il ne me restait plus qu'à
laisser mes deux compagnons de voyage poursuivre, sous la
conduite experte et gourmande de Daniel Leuwers.

SERGE GAUBERT

Première partie

Aux sources de la poésie moderne

I

✗ Le romantisme

Le romantisme connaît surtout ses heures de gloire sous la Restauration et la monarchie de Juillet (1814-1848). Ce mouvement littéraire où la poésie occupe une place majeure vise avant tout à la libération de la subjectivité et de la sensibilité, en réaction contre le classicisme rigide du XVIIᵉ siècle et le rationalisme philosophique du XVIIIᵉ siècle. Le romantisme veut en finir avec le culte des idées et le règne des « lumières ». Ce qu'il prône, c'est une valorisation du sentiment, basée sur une exaltation du « moi » et sur ce qu'on a appelé le « vague des passions ». Comme l'a écrit Mme de Staël, le romantisme est l'expression d'un « mal du siècle ». Le XIXᵉ siècle naissant se sent, en effet, en butte à un devenir hostile et à des tourments destructeurs. La fin de l'épopée napoléonienne a coupé les ailes aux grands rêves de gloire historique, et les créateurs sont conduits à trouver des ressources en eux-mêmes. Les tourments de l'âme deviennent ainsi le meilleur tremplin de leurs poèmes : tourments individuels (comme dans Le lac, de Lamartine) ou tourments plus métaphysiques (comme dans La mort du loup, de Vigny).

Si le romantisme s'impose en France dans la première moitié du XIXᵉ siècle, il s'est déjà exprimé en Allemagne et en Angleterre. Les Souffrances du jeune Werther (le héros est la proie d'un amour suicidaire) inaugure le romantisme allemand en 1774. La célèbre œuvre de Goethe sera suivie par une production riche et variée où les auteurs (Jean-Paul Richter, Hölderlin, Heine, Novalis) s'attachent à montrer les rapports complexes du conscient et de l'inconscient et à discerner les réseaux de « correspondances » qui existent entre l'univers et la pensée. Gérard de Nerval sera leur meilleur héritier en France. Quant au romantisme anglais illustré par William Blake, Keats, Shelley ou Byron — pour la plupart, morts précocement —, il privilégie surtout la mélancolie, la malédiction, l'autodestruction auxquelles répondent la haine du conformisme et le désir d'échapper au réel. Le romantisme français reprendra à son compte ces valeurs.

Si la France s'ouvre si bien aux influences étrangères, c'est en raison du travail de Mme de Staël et d'un livre comme *De l'Allemagne* (1810), au retentissement considérable et qui pose les grands jalons de l'art romantique où devront être privilégiés l'inspiration personnelle et le culte du « génie » (« Ah ! frappe-toi le cœur ; c'est là qu'est le génie », pourra bientôt s'exclamer Musset). Mme de Staël circonscrit « l'âme romantique » au « sentiment douloureux » que l'homme a « de l'incomplet de sa destinée ». Pour donner un sens à cette destinée, la première vague romantique dominée par Chateaubriand en appellera à un réveil du sentiment religieux (tel est le message du *Génie du christianisme*, publié dès 1802), tout en célébrant avec nostalgie le paradis perdu de l'Ancien Régime. L'année 1830 marquera un tournant dans l'évolution du romantisme. Le 25 février 1830, la Comédie-Française, bastion des classiques, donne une pièce de Victor Hugo, *Hernani*. Les jeunes loups du romantisme (parmi eux, Nerval) mènent l'assaut contre les traditionalistes et font triompher la pièce. Désormais le romantisme perdra beaucoup de sa teinture nostalgique et réactionnaire. Aux rêves d'un retour vers le passé, il substituera une foi dans le progrès et dans l'avenir. Victor Hugo est le symbole vivant de cette évolution, voire de cette révolution. Le poète ne sera dès lors plus celui qui chante seulement ses émois et ses tourments, mais celui qui devient un guide, un mage, un phare pour l'humanité. Le romantisme finissant connaît ainsi la tentation de l'engagement politique, impardonnable erreur aux yeux des parnassiens qui édifieront leur mouvement sur une virulente dénonciation de cette déviation.

ALPHONSE DE LAMARTINE

L'isolement

Souvent sur la montagne, à l'ombre du vieux chêne,
Au coucher du soleil, tristement je m'assieds ;
Je promène au hasard mes regards sur la plaine,
Dont le tableau changeant se déroule à mes pieds.

Ici, gronde le fleuve aux vagues écumantes,
Il serpente, et s'enfonce en un lointain obscur ;
Là, le lac immobile étend ses eaux dormantes
Où l'étoile du soir se lève dans l'azur.

Au sommet de ces monts couronnés de bois sombres,
Le crépuscule encor jette un dernier rayon,
Et le char vaporeux de la reine des ombres
Monte, et blanchit déjà les bords de l'horizon.

Cependant, s'élançant de la flèche gothique,
Un son religieux se répand dans les airs,
Le voyageur s'arrête, et la cloche rustique
Aux derniers bruits du jour mêle de saints concerts.

Mais à ces doux tableaux mon âme indifférente
N'éprouve devant eux ni charme, ni transports ;
Je contemple la terre, ainsi qu'une ombre errante :
Le soleil des vivants n'échauffe plus les morts.

De colline en colline en vain portant ma vue,
Du sud à l'aquilon[1], de l'aurore au couchant,
Je parcours tous les points de l'immense étendue,
Et je dis : « Nulle part le bonheur ne m'attend. »

Que me font ces vallons, ces palais, ces chaumières,
Vains objets dont pour moi le charme est envolé ?
Fleuves, rochers, forêts, solitudes si chères,
Un seul être vous manque et tout est dépeuplé.

Que le tour du soleil ou commence ou s'achève,
D'un œil indifférent je le suis dans son cours ;
En un ciel sombre ou pur qu'il se couche ou se lève,
Qu'importe le soleil ? je n'attends rien des jours.

Quand je pourrais le suivre en sa vaste carrière,
Mes yeux verraient partout le vide et les déserts ;
Je ne désire rien de tout ce qu'il éclaire,
Je ne demande rien à l'immense univers.

Mais peut-être au-delà des bornes de sa sphère,
Lieux où le vrai soleil éclaire d'autres cieux,
Si je pouvais laisser ma dépouille à la terre,
Ce que j'ai tant rêvé paraîtrait à mes yeux !

Là, je m'enivrerais à la source où j'aspire,
Là, je retrouverais et l'espoir et l'amour,
Et ce bien idéal que toute âme désire,
Et qui n'a pas de nom au terrestre séjour !

Que ne puis-je, porté sur le char de l'Aurore,
Vague objet de mes vœux, m'élancer jusqu'à toi !
Sur la terre d'exil pourquoi resté-je encore ?
Il n'est rien de commun entre la terre et moi.

1. Vent du nord.

Quand la feuille des bois tombe dans la prairie,
Le vent du soir s'élève et l'arrache aux vallons ;
Et moi, je suis semblable à la feuille flétrie :
Emportez-moi comme elle, orageux aquilons !

Méditations poétiques, I, 1820.

Ce poème, qui se présente d'emblée comme le constat d'un voyageur errant, connaît deux retournements matérialisés par les « Mais » qui ouvrent les cinquième et dixième strophes. Le poète se sent voué au malheur et à l'absence d'amour, avant d'obéir à l'appel de l'idéal qui a les accents mêmes de la mort.

L'isolement de Lamartine à Milly est consécutif à la mort, en décembre 1817, de Julie Charles, jeune femme trop éphémèrement aimée. Le poème date d'août 1818.

Le lac

Ainsi, toujours poussés vers de nouveaux rivages,
Dans la nuit éternelle emportés sans retour,
Ne pourrons-nous jamais sur l'océan des âges
    Jeter l'ancre un seul jour ?

Ô lac ! l'année à peine a fini sa carrière[1],
Et près des flots chéris qu'elle devait revoir,
Regarde ! je viens seul m'asseoir sur cette pierre
    Où tu la vis s'asseoir !

1. Un an après la rencontre avec Mme Charles.

Tu mugissais ainsi sous ces roches profondes,
Ainsi tu te brisais sur leurs flancs déchirés,
Ainsi le vent jetait l'écume de tes ondes
      Sur ses pieds adorés.

Un soir, t'en souvient-il ? nous voguions en silence ;
On n'entendait au loin, sur l'onde et sous les cieux,
Que le bruit des rameurs qui frappaient en cadence
      Tes flots harmonieux.

Tout à coup des accents inconnus à la terre
Du rivage charmé frappèrent les échos :
Le flot fut attentif, et la voix qui m'est chère
      Laissa tomber ces mots :

« Ô temps ! suspends ton vol, et vous, heures propices
      Suspendez votre cours :
Laissez-nous savourer les rapides délices
      Des plus beaux de nos jours !

« Assez de malheureux ici-bas vous implorent,
      Coulez, coulez pour eux ;
Prenez avec leurs jours les soins[1] qui les dévorent,
      Oubliez les heureux.

« Mais je demande en vain quelques moments encore,
      Le temps m'échappe et fuit ;
Je dis à cette nuit : Sois plus lente ; et l'aurore
      Va dissiper la nuit.

« Aimons donc, aimons donc ! de l'heure fugitive,
      Hâtons-nous, jouissons !
L'homme n'a point de port, le temps n'a point de rive ;
      Il coule, et nous passons ! »

1. Les soucis (*cf.* latin *cura*).

Temps jaloux, se peut-il que ces moments d'ivresse,
Où l'amour à longs flots nous verse le bonheur,
S'envolent loin de nous de la même vitesse
        Que les jours de malheur ?

Eh quoi ! n'en pourrons-nous fixer au moins la trace ?
Quoi ! passés pour jamais ! quoi ! tout entiers perdus !
Ce temps qui les donna, ce temps qui les efface,
        Ne nous les rendra plus !

Éternité, néant, passé, sombres abîmes,
Que faites-vous des jours que vous engloutissez ?
Parlez : nous rendrez-vous ces extases sublimes
        Que vous nous ravissez ?

Ô lac ! rochers muets ! grottes ! forêt obscure !
Vous, que le temps épargne ou qu'il peut rajeunir,
Gardez de cette nuit, gardez, belle nature,
        Au moins le souvenir !

Qu'il soit dans ton repos, qu'il soit dans tes orages,
Beau lac, et dans l'aspect de tes riants coteaux,
Et dans ces noirs sapins, et dans ces rocs sauvages
        Qui pendent sur tes eaux.

Qu'il soit dans le zéphyr qui frémit et qui passe,
Dans les bruits de tes bords par tes bords répétés,
Dans l'astre au front d'argent qui blanchit ta surface
        De ses molles clartés.

Que le vent qui gémit, le roseau qui soupire,
Que les parfums légers de ton air embaumé,
Que tout ce qu'on entend, l'on voit ou l'on respire,
        Tout dise : Ils ont aimé !

Méditations poétiques, I, 1820.

Lamartine a rencontré Julie Charles en octobre 1816 sur les bords du lac du Bourget. Cette jeune femme poitrinaire sera l'objet de l'amour spiritualisé du poète. Le lac *(qui devait d'abord s'intituler* Le lac du Bourget*)* est écrit en 1817 par Lamartine sur les lieux mêmes de la rencontre, alors que Julie Charles, malade, est retenue à Paris. L'amour soumis aux vicissitudes du temps aspire ici à une éternisation dans la nature.

ALFRED DE VIGNY

La mort du loup

I

Les nuages couraient sur la lune enflammée
Comme sur l'incendie on voit fuir la fumée,
Et les bois étaient noirs jusques à l'horizon.
— Nous marchions, sans parler, dans l'humide gazon,
Dans la bruyère épaisse, et dans les hautes brandes[1],
Lorsque, sous des sapins pareils à ceux des Landes,
Nous avons aperçu les grands ongles marqués
Par les loups voyageurs que nous avions traqués[2].
Nous avons écouté, retenant notre haleine
Et le pas suspendu. — Ni le bois ni la plaine
Ne poussait un soupir dans les airs ; seulement
La girouette en deuil criait au firmament ;
Car le vent, élevé bien au-dessus des terres,
N'effleurait de ses pieds que les tours solitaires.
Et les chênes d'en bas, contre les rocs penchés,
Sur leurs coudes semblaient endormis et couchés.
— Rien ne bruissait donc, lorsque, baissant la tête,
Le plus vieux des chasseurs qui s'étaient mis en quête
A regardé le sable en s'y couchant ; bientôt,
Lui que jamais ici l'on ne vit en défaut,
A déclaré tout bas que ces marques récentes
Annonçaient la démarche et les griffes puissantes
De deux grands loups-cerviers[3] et de deux louveteaux.

1. Bruyère sèche. — 2. Encerclés. — 3. Sorte de lynx.

Nous avons tous alors préparé nos couteaux,
Et, cachant nos fusils et leurs lueurs trop blanches,
Nous allions pas à pas en écartant les branches.
Trois s'arrêtent, et moi, cherchant ce qu'ils voyaient,
J'aperçois tout à coup deux yeux qui flamboyaient,
Et je vois au-delà quatre formes légères
Qui dansaient sous la lune au milieu des bruyères,
Comme font chaque jour, à grand bruit sous nos yeux,
Quand le maître revient, les lévriers joyeux.
Leur forme était semblable et semblable la danse ;
Mais les enfants du Loup se jouaient en silence,
Sachant bien qu'à deux pas, ne dormant qu'à demi,
Se couche dans ses murs l'homme, leur ennemi.
Le père était debout, et plus loin, contre un arbre,
Sa Louve reposait, comme celle de marbre
Qu'adoraient les Romains, et dont les flancs velus
Couvaient les demi-dieux Rémus et Romulus[1].
Le Loup vient et s'assied, les deux jambes dressées,
Par leurs ongles crochus dans le sable enfoncées.
Il s'est jugé perdu, puisqu'il était surpris,
Sa retraite coupée et tous ses chemins pris,
Alors il a saisi, dans sa gueule brûlante,
Du chien le plus hardi la gorge pantelante,
Et n'a pas desserré ses mâchoires de fer,
Malgré nos coups de feu, qui traversaient sa chair,
Et nos couteaux aigus qui, comme des tenailles,
Se croisaient en plongeant dans ses larges entrailles,
Jusqu'au dernier moment où le chien étranglé,
Mort longtemps avant lui, sous ses pieds a roulé.
Le Loup le quitte alors et puis il nous regarde.
Les couteaux lui restaient au flanc jusqu'à la garde,
Le clouaient au gazon tout baigné dans son sang ;
Nos fusils l'entouraient en sinistre croissant.

1. Allusion aux deux enfants allaités par la louve romaine (statue célè-bre).

— Il nous regarde encore, ensuite il se recouche,
Tout en léchant le sang répandu sur sa bouche,
Et, sans daigner savoir comment il a péri,
Refermant ses grands yeux, meurt sans jeter un cri.

II

J'ai reposé mon front sur mon fusil sans poudre,
Me prenant à penser, et n'ai pu me résoudre
A poursuivre sa Louve et ses fils, qui, tous trois
Avaient voulu l'attendre, et, comme je le crois,
Sans ses deux louveteaux, la belle et sombre veuve
Ne l'eût pas laissé seul subir la grande épreuve ;
Mais son devoir était de les sauver, afin
De pouvoir leur apprendre à bien souffrir la faim,
A ne jamais entrer dans le pacte des villes
Que l'homme a fait avec les animaux serviles
Qui chassent devant lui, pour avoir le coucher,
Les premiers possesseurs du bois et du rocher.

III

Hélas ! ai-je pensé, malgré ce grand nom d'Hommes,
Que j'ai honte de nous, débiles que nous sommes !
Comment on doit quitter la vie et tous ses maux,
C'est vous qui le savez, sublimes animaux !
A voir ce que l'on fut sur terre et ce qu'on laisse,
Seul le silence est grand ; tout le reste est faiblesse.
— Ah ! je t'ai bien compris, sauvage voyageur,
Et ton dernier regard m'est allé jusqu'au cœur !
Il disait : « Si tu peux, fais que ton âme arrive,
A force de rester studieuse et pensive,
Jusqu'à ce haut degré de stoïque fierté
Où, naissant dans les bois, j'ai tout d'abord monté.

Gémir, pleurer, prier est également lâche.
Fais énergiquement ta longue et lourde tâche
Dans la voie où le sort a voulu t'appeler,
Puis, après, comme moi, souffre et meurs sans parler. »

Les Destinées, 1864.

Lorsque Vigny compose ce poème, en octobre 1838, deux sévères épreuves viennent de l'ébranler : la mort de sa mère et la rupture avec Marie Dorval, l'actrice pour laquelle il a écrit Chatterton. *A l'épreuve, Vigny répond par un silence stoïque qui méprise la fatalité. La scène de chasse met d'abord en relief la tragédie de l'animal traqué (I) avant de susciter la réflexion de celui qui le traque (II). Finalement, qui mérite le nom d'homme (III) ?*
    Le tour de force de Vigny est d'assimiler, malgré une apparente distinction, la condition de l'homme à celle de l'animal traqué.

VICTOR HUGO

Le manteau impérial

Oh ! vous dont le travail est joie,
Vous qui n'avez pas d'autre proie
Que les parfums, souffles du ciel,
Vous qui fuyez quand vient décembre,
Vous qui dérobez aux fleurs l'ambre
Pour donner aux hommes le miel,

Chastes buveuses de rosée,
Qui, pareilles à l'épousée,
Visitez le lys du coteau,
Ô sœurs des corolles vermeilles,
Filles de la lumière, abeilles,
Envolez-vous de ce manteau !

Ruez-vous sur l'homme, guerrières !
Ô généreuses ouvrières,
Vous le devoir, vous la vertu,
Ailes d'or et flèches de flamme,
Tourbillonnez sur cet infâme !
Dites-lui : « Pour qui nous prends-tu ?

« Maudit ! nous sommes les abeilles !
Des chalets ombragés de treilles
Notre ruche orne le fronton ;
Nous volons, dans l'azur écloses,
Sur la bouche ouverte des roses
Et sur les lèvres de Platon.

« Ce qui sort de la fange y rentre.
Va trouver Tibère en son antre,
Et Charles neuf sur son balcon.
Va ! sur ta pourpre il faut qu'on mette,
Non les abeilles de l'Hymette,
Mais l'essaim noir de Montfaucon ! »

Et percez-le toutes ensemble,
Faites honte au peuple qui tremble,
Aveuglez l'immonde trompeur,
Acharnez-vous sur lui, farouches,
Et qu'il soit chassé par les mouches
Puisque les hommes en ont peur !

Jersey, juin 1853.

Les Châtiments, 1854.

*Il faut savoir que la pourpre du manteau impérial
était semée d'abeilles d'or. Hugo invite ces abeilles à se
lancer à l'attaque de Napoléon III, auteur du coup
d'État de décembre 1851 (les abeilles fuient « quand
vient décembre ») et tyran dont les hommes « ont peur ».
Que les abeilles se substituent donc aux hommes peu-
reux afin d'en finir avec cet émule de Tibère, cruel
empereur romain contraint de se retirer à Capri où il
continua ses exactions, ou de Charles IX qui, dit-on, tira
sur les huguenots d'un balcon du Louvre !*

Le mendiant

Un pauvre homme passait dans le givre et le vent.
Je cognai sur ma vitre ; il s'arrêta devant
Ma porte, que j'ouvris d'une façon civile.
Les ânes revenaient du marché de la ville,

Portant les paysans accroupis sur leurs bâts.
C'était le vieux qui vit dans une niche au bas
De la montée, et rêve, attendant, solitaire,
Un rayon du ciel triste, un liard[1] de la terre,
Tendant les mains pour l'homme et les joignant pour Dieu.
Je lui criai : « Venez vous réchauffer un peu.
Comment vous nommez-vous ? » Il me dit : « Je me
[nomme
Le pauvre. » Je lui pris la main : « Entrez, brave homme. »
Et je lui fis donner une jatte de lait.
Le vieillard grelottait de froid ; il me parlait,
Et je lui répondais, pensif et sans l'entendre.
« Vos habits sont mouillés, dis-je, il faut les étendre
Devant la cheminée. » Il s'approcha du feu.
Son manteau, tout mangé des vers, et jadis bleu,
Etalé largement sur la chaude fournaise,
Piqué de mille trous par la lueur de braise,
Couvrait l'âtre, et semblait un ciel noir étoilé.
Et, pendant qu'il séchait ce haillon désolé
D'où ruisselait la pluie et l'eau des fondrières,
Je songeais que cet homme était plein de prières,
Et je regardais, sourd à ce que nous disions,
Sa bure où je voyais des constellations.

Les Contemplations, « En marche », IX, 1856.

1. Monnaie valant un quart de sou.

On assiste dans ce poème, daté de 1834, à une double démarche chère à Victor Hugo : donner d'abord une impression de vécu par le biais d'une scène dialoguée qui progressivement se dramatise et faire ensuite en sorte que cette dramatisation débouche sur une vision d'espoir. Tout se cristallise sur le manteau en haillons du mendiant qui semble soudain « un ciel noir étoilé » (v. 21) avant que le poète n'y voie « des constellations » (v. 26), symbole de la richesse spirituelle d'un homme qui, « plein de prières », a un rapport privilégié avec Dieu.

Demain, dès l'aube...

Demain, dès l'aube, à l'heure où blanchit la campagne
Je partirai. Vois-tu, je sais que tu m'attends.
J'irai par la forêt, j'irai par la montagne.
Je ne puis demeurer loin de toi plus longtemps.

Je marcherai les yeux fixés sur mes pensées,
Sans rien voir au dehors, sans entendre aucun bruit,
Seul, inconnu, le dos courbé, les mains croisées,
Triste, et le jour pour moi sera comme la nuit.

Je ne regarderai ni l'or du soir qui tombe,
Ni les voiles au loin descendant vers Harfleur,
Et quand j'arriverai, je mettrai sur ta tombe
Un bouquet de houx vert et de bruyère en fleur.

> *Les Contemplations*, « Pauca Meae », XIV, 1856.

Ce court poème de 1847 montre très clairement que la « contemplation » se distingue du fait de voir et de regarder.

Le poète qui s'apprête à aller fleurir dès l'aube la tombe de Léopoldine fera son chemin « sans rien voir au dehors ». Ses yeux seront exclusivement fixés sur ses « pensées », dans un acte de communion spirituelle qui dépasse la mort. Le poète sera tout entier avec celle qui l'attend et à qui il peut déjà adresser un « Vois-tu » (v. 2) dont la familiarité implique une complicité en contraste absolu avec le refus de voir du reste du poème.

Mors

Je vis cette faucheuse. Elle était dans son champ.
Elle allait à grands pas moissonnant et fauchant,
Noir squelette laissant passer le crépuscule.
Dans l'ombre où l'on dirait que tout tremble et recule,
L'homme suivait des yeux les lueurs de la faulx.
Et les triomphateurs sous les arcs triomphaux
Tombaient ; elle changeait en désert Babylone,
Le trône en échafaud et l'échafaud en trône,
Les roses en fumier, les enfants en oiseaux,
L'or en cendre, et les yeux des mères en ruisseaux.
Et les femmes criaient : — Rends-nous ce petit être.
Pour le faire mourir, pourquoi l'avoir fait naître ? —
Ce n'était qu'un sanglot sur terre, en haut, en bas ;
Des mains aux doigts osseux sortaient des noirs grabats,
Un vent froid bruissait dans les linceuls sans nombre ;
Les peuples éperdus semblaient sous la faulx sombre
Un troupeau frissonnant qui dans l'ombre s'enfuit ;
Tout était sous ses pieds deuil, épouvante et nuit.
Derrière elle, le front baigné de douces flammes,
Un ange souriant portait la gerbe d'âmes.

Les Contemplations, « Pauca Meae », XVI, 1856.

Le poète ne voit pas seulement la Mort avec son instrument préféré, « la faulx », mais il assiste aux réactions révoltées et accablées du « troupeau » humain qu'elle décime.
La surprise vient du dernier vers où surgit un « ange souriant » qui porte « la gerbe d'âmes ». Si les hommes meurent, leurs âmes du moins subsistent et forment une « gerbe » — mot qui renvoie, certes, au travail de la faucheuse, mais en l'assortissant d'espoir.

ALFRED DE MUSSET

L'Andalouse

Avez-vous vu, dans Barcelone,
Une Andalouse au sein bruni ?
Pâle comme un beau soir d'automne !
C'est ma maîtresse, ma lionne !
La marquesa d'Amaëgui !

J'ai fait bien des chansons pour elle,
Je me suis battu bien souvent.
Bien souvent j'ai fait sentinelle,
Pour voir le coin de sa prunelle,
Quand son rideau tremblait au vent.

Elle est à moi, moi seul au monde.
Ses grands sourcils noirs sont à moi,
Son corps souple et sa jambe ronde,
Sa chevelure qui l'inonde,
Plus longue qu'un manteau de roi !

C'est à moi son beau col qui penche
Quand elle dort dans son boudoir,
Et sa basquina[1] sur sa hanche,
Son bras dans sa mitaine blanche,
Son pied dans son brodequin noir !

1. Jupe des femmes basques.

Vrai Dieu ! Lorsque son œil pétille
Sous la frange de ses réseaux,
Rien que pour toucher sa mantille[1]
De par tous les saints de Castille,
On se ferait rompre les os.

Qu'elle est superbe en son désordre,
Quand elle tombe, les seins nus,
Qu'on la voit, béante, se tordre
Dans un baiser de rage, et mordre
En criant des mots inconnus !

Et qu'elle est folle dans sa joie,
Lorsqu'elle chante le matin,
Lorsqu'en tirant son bas de soie,
Elle fait, sur son flanc qui ploie,
Craquer son corset de satin !

Allons, mon page, en embuscades !
Allons ! la belle nuit d'été !
Je veux ce soir des sérénades
A faire damner les alcades[2]
De Tolose[3] au Guadalété[4].

Contes d'Espagne et d'Italie, 1830.

1. Longue écharpe de dentelle. — 2. Juges municipaux. — 3. Ville basque.
— 4. Fleuve d'Andalousie.

Jeune romantique prometteur, Musset exprime sa fougue passionnelle dans ce poème qui, mis en musique, connaîtra un vif succès. Mais le poète introduit dans son texte une sensualité plutôt conventionnelle et un exotisme de pacotille. C'est là une façon de dénoncer de l'intérieur la fâcheuse tendance du romantisme à un lyrisme exclamatif.

GÉRARD DE NERVAL

Fantaisie

Il est un air pour qui je donnerais
Tout Rossini, tout Mozart et tout Weber[1],
Un air très vieux, languissant et funèbre,
Qui pour moi seul a des charmes secrets.

Or, chaque fois que je viens à l'entendre,
De deux cents ans mon âme rajeunit :
C'est sous Louis-Treize... — et je crois voir s'étendre
Un coteau vert que le couchant jaunit ;

Puis un château de brique à coins de pierre,
Aux vitraux teints de rougeâtres couleurs,
Ceint de grands parcs, avec une rivière
Baignant ses pieds, qui coule entre des fleurs.

Puis une dame, à sa haute fenêtre,
Blonde aux yeux noirs, en ses habits anciens...
Que, dans une autre existence, peut-être,
J'ai déjà vue — et dont je me souviens !

Les Petits Châteaux de Bohême, 1852.

1. On prononce le nom de ce compositeur allemand « Wèbre ».

Plus la musique distille « un air très vieux » et « funè-
bre », et plus elle est capable de rajeunir l'âme du poète
qui l'écoute. Un paradis perdu se recompose alors, où le
rêve paraît avoir la réalité d'un souvenir.
Ce poème, daté de 1831, s'appuie déjà sur la croyance

à la métempsycose (c'est-à-dire à la réincarnation des âmes) qui sera de plus en plus pour Nerval une parade destinée à juguler son obsession de la mort.

Le point noir

Quiconque a regardé le soleil fixement
Croit voir devant ses yeux voler obstinément
Autour de lui, dans l'air, une tache livide.

Ainsi, tout jeune encore et plus audacieux,
Sur la gloire un instant j'osai fixer les yeux :
Un point noir est resté dans mon regard avide.

Depuis, mêlée à tout comme un signe de deuil,
Partout, sur quelque endroit que s'arrête mon œil,
Je la vois se poser aussi, la tache noire ! —

Quoi, toujours ? Entre moi sans cesse et le bonheur !
Oh ! c'est que l'aigle seul — malheur à nous, malheur ! —
Contemple impunément le Soleil et la Gloire.

Les Petits Châteaux de Bohême, 1852.

Celui qui a osé «fixer les yeux» sur la gloire littéraire est comme un homme qui «a regardé le soleil fixement». Ébloui, il ne voit plus qu'«un point noir» — et ce point noir, c'est l'idée de la mort qu'«un instant» il a cru vaincre en faisant œuvre immortelle. Mais c'était oublier que l'homme est lié au malheur de l'ici-bas et qu'il n'a pas le pouvoir impérial de l'aigle (symbole de l'empereur Napoléon Ier), capable non pas de regarder mais de «contempler» le Soleil et la Gloire — avec, cette fois, des majuscules.

El Desdichado

Je suis le Ténébreux, — le Veuf, — l'Inconsolé,
Le prince d'Aquitaine à la Tour abolie :
Ma seule *Étoile* est morte, — et mon luth constellé
Porte le *Soleil noir* de la *Mélancolie*.

Dans la nuit du Tombeau, Toi qui m'as consolé,
Rends-moi le Pausilippe et la mer d'Italie,
La *fleur* qui plaisait tant à mon cœur désolé,
Et la treille où le Pampre à la Rose s'allie.

Suis-je Amour ou Phœbus ?... Lusignan ou Biron ?
Mon front est rouge encor du baiser de la Reine ;
J'ai rêvé dans la Grotte où nage la Syrène...

Et j'ai deux fois vainqueur traversé l'Achéron :
Modulant tour à tour sur la lyre d'Orphée
Les soupirs de la Sainte et les cris de la Fée.

Les Chimères, 1854.

Nerval disait que ses sonnets «perdraient de leur charme à être expliqués, si la chose était possible». A l'effusion romantique, Nerval substitue la concentration verbale, la confession lapidaire.
El Desdichado est pour le poète le lieu d'une interrogation sur son identité. Le «Je suis» initial (v. 1) se transforme en un qui «suis-je?» (v. 9). Mais qui sera finalement l'Eurydice sauvée des enfers par Orphée? La Vierge Marie («la sainte») ou quelque «fée» païenne? La quête de la femme idéale peut-elle cependant suffire à chasser l'angoisse du poète?

II

Le Parnasse

Le règne du romantisme a été suffisamment long pour que des critiques s'élèvent en son sein même. Musset s'est ainsi moqué, en la parodiant, d'une certaine sensiblerie romantique. La réaction d'un Théophile Gautier a été plus profonde. Ce jeune romantique, qui a fougueusement participé en 1830 à la bataille d'*Hernani*, ne tarde pas à tourner casaque. Il estime, en effet, dès 1832, qu'en s'engageant sur une pente politique et sociale, le romantisme donne à l'art une perspective utilitaire qui ne peut que lui être nuisible. Gautier propose donc que l'art soit cultivé pour lui-même et non pour soutenir quelque idée ou projet. La théorie de « l'art pour l'art » est lancée, et, dans un souci global de pureté, Gautier fait également la chasse à la sentimentalité, au profit des seules impressions. Le modèle de Gautier, c'est l'architecture et la statuaire gréco-latines, symboles de la beauté éternelle. Mais pour atteindre à un correspondant poétique de ce modèle antique, il faut consentir à un rigoureux travail de la forme, soigner la rime et ses sonorités évocatrices, adopter des mètres difficiles. *Émaux et Camées* marque en 1852 le triomphe de l'esthétique prônée par Gautier. Mais c'est seulement entre 1860 et 1866 que se constitue officiellement le groupe des poètes parnassiens (le Parnasse est, en Grèce, un massif montagneux qui figure la résidence des Muses et le lieu d'inspiration des poètes).

Les parnassiens entourent de leur respect Théophile Gautier mais se reconnaissent pour maître Leconte de Lisle qui, adepte un temps des idées de progrès social, se détourne ensuite de la politique active et entend se vouer à « la contemplation sereine des formes divines », comme en témoignent ses recueils *Poèmes antiques* (1852) et *Poèmes barbares* (1862). Le Parnasse a un organe de diffusion, *Le Parnasse contemporain*, qui publie les « vers nouveaux » de Gautier et de Leconte de Lisle, mais aussi de Banville, Heredia, Coppée, Catulle Mendès et même de Baudelaire, Verlaine et Mallarmé.

Les parnassiens n'auront pas constitué une école à proprement parler, mais un groupe soudé autour de ces quelques idées-forces que sont le refus du romantisme sentimental ou politique, le culte de « l'art pour l'art » et la recherche de la perfection formelle.

LECONTE DE LISLE

Midi

Midi, Roi des étés, épandu sur la plaine,
Tombe en nappes d'argent des hauteurs du ciel bleu.
Tout se tait. L'air flamboie et brûle sans haleine ;
La Terre est assoupie en sa robe de feu.

L'étendue est immense, et les champs n'ont point
                                        [d'ombre,
Et la source est tarie où buvaient les troupeaux ;
La lointaine forêt, dont la lisière est sombre,
Dort là-bas, immobile, en un pesant repos.

Seuls, les grands blés mûris, tels qu'une mer dorée,
Se déroulent au loin, dédaigneux du sommeil ;
Pacifiques enfants de la Terre sacrée,
Ils épuisent sans peur la coupe du Soleil.

Parfois, comme un soupir de leur âme brûlante,
Du sein des épis lourds qui murmurent entre eux,
Une ondulation majestueuse et lente
S'éveille, et va mourir à l'horizon poudreux.

Non loin, quelques bœufs blancs, couchés parmi les
                                        [herbes,
Bavent avec lenteur sur leurs fanons épais,
Et suivent de leurs yeux languissants et superbes
Le songe intérieur qu'ils n'achèvent jamais.

Homme, si, le cœur plein de joie ou d'amertume,
Tu passais vers midi dans les champs radieux,
Fuis ! la Nature est vide et le Soleil consume :
Rien n'est vivant ici, rien n'est triste ou joyeux.

Mais si, désabusé des larmes et du rire,
Altéré de l'oubli de ce monde agité,
Tu veux, ne sachant plus pardonner ou maudire,
Goûter une suprême et morne volupté,

Viens ! Le Soleil te parle en paroles sublimes ;
Dans sa flamme implacable absorbe-toi sans fin ;
Et retourne à pas lents vers les cités infimes,
Le cœur trempé sept fois dans le Néant divin.

Poèmes antiques, 1852.

Alors que chez les romantiques, la Nature était le plus souvent accueillante et consolatrice, elle se pare chez Leconte de Lisle d'une mystérieuse majesté. La Nature est « vide » et l'homme n'a plus à en attendre quelque complicité divine. C'est « le Néant divin » qui lui est seul offert, « Soleil » dont il est convié à épouser la chaleur implacable. Midi est donc le moment idéal pour embraser le pessimisme de notre condition.

JOSÉ MARIA DE HEREDIA

Soleil couchant — en Bretagne

Les ajoncs éclatants, parure du granit,
Dorent l'âpre sommet que le couchant allume ;
Au loin, brillante encor par sa barre d'écume,
La mer sans fin commence où la terre finit.

A mes pieds, c'est la nuit, le silence. Le nid
Se tait, l'homme est rentré sous le chaume qui fume ;
Seul l'Angélus du soir, ébranlé dans la brume,
À la vaste rumeur de l'océan s'unit.

Alors, comme du fond d'un abîme, des traînes[1],
Des landes, des ravins, montent des voix lointaines
De pâtres attardés ramenant le bétail.

L'horizon tout entier s'enveloppe dans l'ombre,
Et le soleil mourant, sur un ciel riche et sombre,
Ferme les branches d'or de son riche éventail.

Les Trophées, 1893.

1. Chemins creux bordés d'arbres.

Ce sonnet repose sur une série d'impressions apaisantes. Il en appelle à la vue dans le premier quatrain et le dernier tercet et fait place, entre les deux, aux bruits qui accompagnent le silence du soleil couchant soudain devenu « soleil mourant ».
La description, apparemment objective, n'exclut pas un intimisme mélancolique.

THÉOPHILE GAUTIER

Dans la Sierra

J'aime d'un fol amour les monts fiers et sublimes !
Les plantes n'osent pas poser leurs pieds frileux
Sur le linceul d'argent qui recouvre leurs cimes ;
Le soc s'émousserait à leurs pics anguleux.

Ni vigne aux bras lascifs, ni blés dorés, ni seigles,
Rien qui rappelle l'homme et le travail maudit.
Dans leur air libre et pur nagent des essaims d'aigles,
Et l'écho du rocher siffle l'air du bandit.

Ils ne rapportent rien et ne sont pas utiles ;
Ils n'ont que leur beauté, je le sais, c'est bien peu.
Mais moi je les préfère aux champs gras et fertiles,
Qui sont si loin du ciel qu'on n'y voit jamais Dieu.

España, 1845.

Convaincu qu'il faut se détacher de toute sentimentalité excessive, Gautier chante les montagnes sculpturales
et les « pics anguleux », et non la végétation fertile où les
romantiques aimaient à trouver refuge.

Le culte de la beauté objective et glacée — traduite
par des mots eux-mêmes objectifs et glacés — est le plus
bel hommage au Dieu créateur dont il faut adopter la
position surplombante.

L'Art

Oui, l'œuvre sort plus belle
D'une forme au travail
    Rebelle,
Vers, marbre, onyx, émail.

Point de contraintes fausses !
Mais que pour marcher droit
    Tu chausses,
Muse, un cothurne[1] étroit.

Fi du rhythme[2] commode,
Comme un soulier trop grand,
    Du mode
Que tout pied quitte et prend !

Statuaire, repousse
L'argile que pétrit
    Le pouce
Quand flotte ailleurs l'esprit ;

Lutte avec le carrare[3]
Avec le paros[4] dur
    Et rare,
Gardiens du contour pur ;

Emprunte à Syracuse
Son bronze où fermement
    S'accuse
Le trait fier et charmant ;

---

1. Chaussure des acteurs du théâtre grec antique. — 2. Orthographe conforme à l'étymologie. — 3. Marbre italien extrait à Carrare. — 4. Marbre grec.

D'une main délicate
Poursuis dans un filon
    D'agate
Le profil d'Apollon[1].

Peintre, fuis l'aquarelle,
Et fixe la couleur
    Trop frêle
Au four de l'émailleur.

Fais les sirènes bleues,
Tordant de cent façons
    Leurs queues,
Les monstres des blasons ;

Dans son nimbe trilobe[2]
La Vierge et son Jésus,
    Le globe
Avec la croix dessus.

Tout passe. — L'art robuste
Seul a l'éternité,
    Le buste
Survit à la cité.

Et la médaille austère
Que trouve un laboureur
    Sous terre
Révèle un empereur.

Les dieux eux-mêmes meurent.
Mais les vers souverains
    Demeurent
Plus forts que les airains.

1. Dieu du Soleil et de la Poésie. — 2. Auréole en forme de trèfle.

Sculpte, lime, ciselle ;
Que ton rêve flottant
　　Se scelle
Dans le bloc résistant !

Émaux et Camées, 1852.

　Pour exprimer son idéal de « *l'art pour l'art* », ce poème ne fait pas seulement des renvois incessants à l'art plastique, il choisit de se soumettre à d'impérieuses contraintes formelles (chaque strophe obéit à l'originale structure 6/6/2/6 et recherche les rimes riches dans un mètre étroit).

III

Charles Baudelaire

Charles Baudelaire occupe une place centrale dans l'histoire de la poésie moderne. Baudelaire est dans un certain sens l'héritier du romantisme, mais d'un romantisme qui n'est « ni dans le choix des sujets ni dans la vérité exacte », ainsi que l'auteur l'écrit dans son *Salon de 1846*. Baudelaire refuse le lyrisme facile et l'exaltation du moi. Ce qu'il privilégie, c'est la malédiction, le « guignon » qui accable l'homme et le condamne à un « spleen » que la quête de l'« idéal » ne parvient jamais totalement à faire oublier. Le « spleen » (mot anglais), c'est pour Baudelaire une forme de l'angoisse existentielle, c'est la hantise du temps et de la mort, c'est le triomphe du « mal ».

Mais Baudelaire se distingue radicalement des romantiques en ce sens que sa conscience aiguë du tragique de la vie ne le conduit pas à des plaintes mélancoliques ou nostalgiques. Bien au contraire, Baudelaire veut faire de l'ennemi un allié inattendu. Puisque le monde est régi par le « mal », l'artiste ne doit plus se complaire dans le rêve d'un « bien » mythique dont un Dieu hypothétique serait le garant, mais explorer les labyrinthes de ce « mal » généralement attaqué au nom de la morale. Baudelaire invite donc ses lecteurs à humer le parfum des « fleurs du mal » et à découvrir ainsi les troublantes beautés issues de domaines interdits comme la sexualité.

Paru en 1857, le recueil *Les Fleurs du mal* sera condamné pour immoralité, et Baudelaire devra supprimer six poèmes dans la seconde édition de 1861. C'est dire que le poète a dépassé les bornes morales assignées à la littérature. Désormais ce dépassement, voire cette transgression, deviendront une des conditions essentielles de la création poétique, et, en ce sens, Baudelaire est très loin du romantisme pour devenir le précurseur de Rimbaud et de Lautréamont.

Enfin, Baudelaire est un novateur sur le plan de la forme. Si *Les Fleurs du mal* sont un recueil en vers rimés, les *Petits Poèmes en prose*, qui seront publiés en 1869, revendiquent l'abandon des mètres traditionnels au profit d'« une prose poétique, musicale sans rythme et sans rime, assez souple et assez heurtée pour s'adapter aux mouvements lyriques de l'âme, aux ondulations de la rêverie, aux soubresauts de la conscience » — ainsi que Baudelaire l'écrit dans la dédicace « à Arsène Houssaye » qui ouvre le livre. Autrement dit, Baudelaire affirme que le rythme poétique ne doit plus dépendre de contraintes tout extérieures, mais qu'il doit s'adapter souplement à la rêverie ondulante du lecteur. Abandonner le vers pour la prose n'est donc point une facilité, mais une aventure pleine de risques. La poésie moderne a pris, depuis Baudelaire, ce goût du risque.

L'albatros

Souvent, pour s'amuser, les hommes d'équipage
Prennent des albatros, vastes oiseaux des mers[1],
Qui suivent, indolents compagnons de voyage,
Le navire glissant sur les gouffres amers.

A peine les ont-ils déposés sur les planches,
Que ces rois de l'azur, maladroits et honteux,
Laissent piteusement leurs grandes ailes blanches
Comme des avirons traîner à côté d'eux.

Ce voyageur ailé, comme il est gauche et veule !
Lui, naguère si beau, qu'il est comique et laid !
L'un agace son bec avec un brûle-gueule[2],
L'autre mime, en boitant, l'infirme qui volait !

Le Poète est semblable au prince des nuées
Qui hante la tempête et se rit de l'archer ;
Exilé sur le sol au milieu des huées,
Ses ailes de géant l'empêchent de marcher.

Les Fleurs du mal, 1857.

1. L'envergure des albatros peut atteindre 4 m. — 2. Pipe de marin.

Pour Baudelaire, l'albatros symbolise la dualité de l'homme qui, cloué au sol, aspire à l'infini. Destiné à voler, l'albatros est ridicule sur le pont d'un bateau et voué aux cruelles moqueries des matelots, comme le poète parmi les hommes.

Les « gouffres amers » sont non seulement ceux de la mer, mais ils traduisent une amertume plus profonde et fondamentale qui a fait écrire au poète : « L'ivresse de l'Art est plus apte que toute autre à voiler les terreurs du gouffre. »

Correspondances

La Nature est un temple où de vivants piliers
Laissent parfois sortir de confuses paroles ;
L'homme y passe à travers des forêts de symboles
Qui l'observent avec des regards familiers.

Comme de longs échos qui de loin se confondent
Dans une ténébreuse et profonde unité,
Vaste comme la nuit et comme la clarté,
Les parfums, les couleurs et les sons se répondent.

Il est des parfums frais comme des chairs d'enfants,
Doux comme les hautbois, verts comme les prairies,
— Et d'autres, corrompus, riches et triomphants,

Ayant l'expansion des choses infinies,
Comme l'ambre, le musc[1], le benjoin et l'encens[2]
Qui chantent les transports de l'esprit et des sens.

Les Fleurs du mal, 1857.

1. Substances utilisées en parfumerie. — 2. Résines aromatiques végétales.

Dans Notes nouvelles sur Edgar Poe, *Baudelaire écrit :* « C'est cet admirable, cet immortel instinct du Beau qui nous fait considérer la Terre et ses spectacles comme un aperçu, comme une correspondance du ciel. » *Le rôle du poète est donc de capter ces correspondances pour atteindre un équivalent de la splendeur surnaturelle.*

Les correspondances représentent à la fois une mémoire cosmique, les liens entre le visible et l'invisible (le Suédois Swedenborg a soutenu cette forme d'illumi-

nisme au XVIIIe siècle), et elles reposent linguistiquement sur la comparaison (les « comme » abondent dans le poème) et la métaphore (sorte de comparaison sans « comme »).

L'Ennemi

Ma jeunesse ne fut qu'un ténébreux orage,
Traversé çà et là par de brillants soleils ;
Le tonnerre et la pluie ont fait un tel ravage,
Qu'il reste en mon jardin bien peu de fruits vermeils.

Voilà que j'ai touché l'automne des idées,
Et qu'il faut employer la pelle et les râteaux
Pour rassembler à neuf les terres inondées,
Où l'eau creuse des trous grands comme des tombeaux.

Et qui sait si les fleurs nouvelles que je rêve
Trouveront dans ce sol lavé comme une grève
Le mystique aliment qui ferait leur vigueur ?

— Ô douleur ! ô douleur ! Le Temps mange la vie,
Et l'obscur Ennemi qui nous ronge le cœur
Du sang que nous perdons croît et se fortifie !

Les Fleurs du mal, 1857.

L'ennemi, c'est le temps qui, irrémédiablement, « mange la vie ». A l'automne de son existence, l'homme peut-il rêver de « fleurs nouvelles » ? Son jardin est, en fait, la préfiguration du tombeau.
Baudelaire évoque ici des instruments utilitaires, voués paradoxalement à l'inutilité face à un temps destructeur.

La cloche fêlée

Il est amer et doux, pendant les nuits d'hiver,
D'écouter, près du feu qui palpite et qui fume,
Les souvenirs lointains lentement s'élever
Au bruit des carillons qui chantent dans la brume.

Bienheureuse la cloche au gosier vigoureux
Qui, malgré sa vieillesse, alerte et bien portante,
Jette fidèlement son cri religieux,
Ainsi qu'un vieux soldat qui veille sous la tente !

Moi, mon âme est fêlée, et lorsqu'en ses ennuis
Elle veut de ses chants peupler l'air froid des nuits,
Il arrive souvent que sa voix affaiblie

Semble le râle épais d'un blessé qu'on oublie
Au bord d'un lac de sang, sous un grand tas de morts,
Et qui meurt, sans bouger, dans d'immenses efforts.

Les Fleurs du mal, 1857.

La cloche fêlée *est le poème de l'étouffement progressif. Ce sonnet tout en contrastes décrit dans les quatrains ce qu'a d'«amer et doux» le son d'une cloche évocatrice de «souvenirs lointains». Mais, dans les deux tercets, le poète s'assimile à cette cloche dont la fêlure conduit à l'image du blessé et du mort.*

Dans ce poème très auditif, on passe du «bruit» chantant des carillons au «cri religieux» de la cloche, puis le chant — de l'âme, cette fois — se transforme en «voix affaiblie» et en «râle épais».

Quand le ciel bas et lourd...

Quand le ciel bas et lourd pèse comme un couvercle
Sur l'esprit gémissant en proie aux longs ennuis,
Et que de l'horizon embrassant tout le cercle
Il nous verse un jour noir plus triste que les nuits ;

Quand la terre est changée en un cachot humide,
Où l'Espérance, comme une chauve-souris,
S'en va battant les murs de son aile timide
Et se cognant la tête à des plafonds pourris ;

Quand la pluie, étalant ses immenses traînées,
D'une vaste prison imite les barreaux,
Et qu'un peuple muet d'infâmes araignées
Vient tendre ses filets au fond de nos cerveaux,

Des cloches tout à coup sautent avec furie
Et lancent vers le ciel un affreux hurlement,
Ainsi que des esprits errants et sans patrie
Qui se mettent à geindre opiniâtrement.

— Et de longs corbillards, sans tambours ni musique,
Défilent lentement dans mon âme ; l'Espoir,
Vaincu, pleure et l'Angoisse atroce, despotique,
Sur mon crâne incliné plante son drapeau noir.

Les Fleurs du mal, 1857.

Parfaite illustration du « spleen » baudelairien. De strophe en strophe, le malaise du poète croît : un couvercle pèse sur lui, qui l'emprisonne et le terrorise jusqu'à l'hallucination auditive. L'apparent apaisement de la dernière strophe ne marque que le triomphe de l'angoisse.

L'invitation au voyage

Mon enfant, ma sœur,
Songe à la douceur
D'aller là-bas vivre ensemble !
Aimer à loisir,
Aimer et mourir
Au pays qui te ressemble !
Les soleils mouillés
De ces ciels brouillés
Pour mon esprit ont les charmes
Si mystérieux
De tes traîtres yeux,
Brillant à travers leurs larmes.

Là, tout n'est qu'ordre et beauté,
Luxe, calme et volupté.

Des meubles luisants,
Polis par les ans,
Décoreraient notre chambre ;
Les plus rares fleurs
Mêlant leurs odeurs
Aux vagues senteurs de l'ambre,
Les riches plafonds,
Les miroirs profonds,
La splendeur orientale,
Tout y parlerait
A l'âme en secret
Sa douce langue natale.

Là, tout n'est qu'ordre et beauté,
Luxe, calme et volupté.

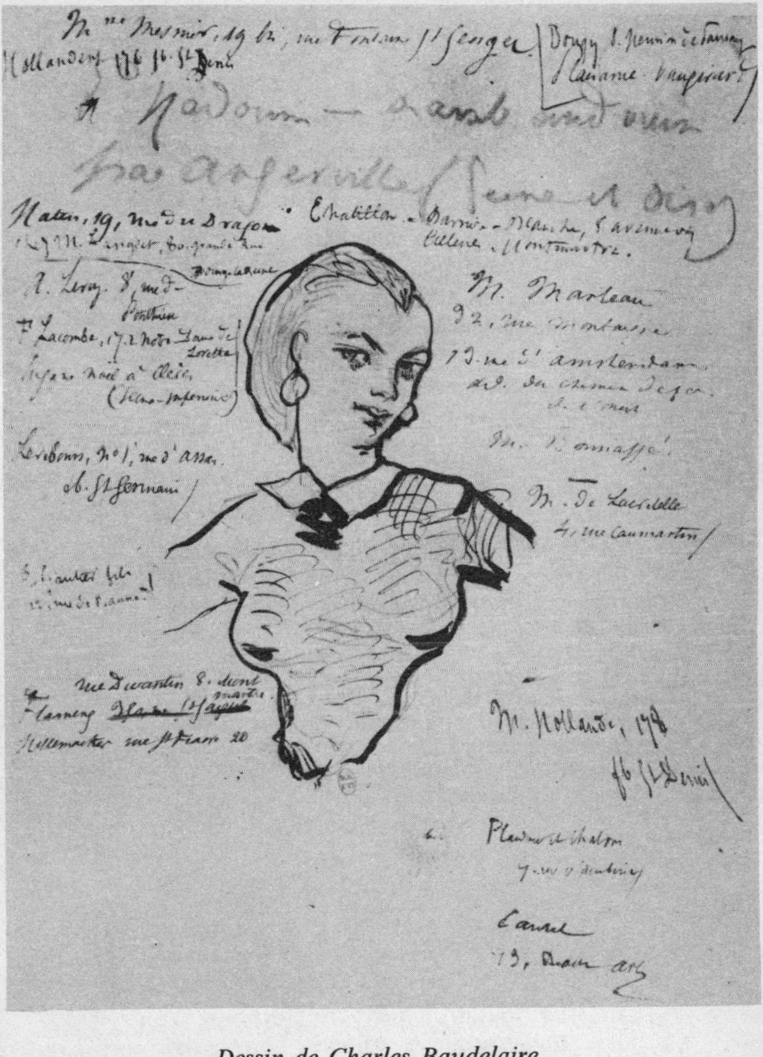

Dessin de Charles Baudelaire.

Vois sur ces canaux
Dormir ces vaisseaux
Dont l'humeur est vagabonde ;
C'est pour assouvir
Ton moindre désir
Qu'ils viennent du bout du monde.
— Les soleils couchants
Revêtent les champs,
Les canaux, la ville entière,
D'hyacinthe[1] et d'or ;
Le monde s'endort
Dans une chaude lumière.

Là, tout n'est qu'ordre et beauté,
Luxe, calme et volupté.

Les Fleurs du mal, 1857.

1. Pierre fine brun orangé.

*Baudelaire n'a pas une vision optimiste de l'amour.
L'amour, dominé par le goût du plaisir, met en relief la
solitude de tout homme et révèle l'incommunicabilité
entre les êtres.*

Dans L'invitation au voyage *Baudelaire tente de
chanter le rêve idéal de l'amour. L'amante devient ici
une sœur (« Mon enfant, ma sœur »), et le rythme impair
du poème se démarque de l'alexandrin traditionnel, tout
comme l'Idéal soudain entrevu s'oppose au « spleen »
qui pèse dans* Les Fleurs du mal.

Le port

Un port est un séjour charmant pour une âme fatiguée des luttes de la vie. L'ampleur du ciel, l'architecture mobile des nuages, les colorations changeantes de la mer, le scintillement des phares, sont un prisme merveilleusement propre à amuser les yeux sans jamais les lasser. Les formes élancées des navires, au gréement compliqué, auxquels la houle imprime des oscillations harmonieuses, servent à entretenir dans l'âme le goût du rythme et de la beauté. Et puis, surtout, il y a une sorte de plaisir mystérieux et aristocratique pour celui qui n'a plus ni curiosité ni ambition, à contempler, couché dans le belvédère ou accoudé sur le môle, tous ces mouvements de ceux qui partent et de ceux qui reviennent, de ceux qui ont encore la force de vouloir, le désir de voyager ou de s'enrichir.

Petits poèmes en prose, 1869.

Le rythme ample de cette « prose » traduit bien les « oscillations harmonieuses » de la houle que le poète nous convie à contempler. C'est le va-et-vient du désir qui s'exprime ici.

Les fenêtres

Celui qui regarde au dehors à travers une fenêtre ouverte ne voit jamais autant de choses que celui qui regarde une fenêtre fermée. Il n'est pas d'objet plus profond, plus mystérieux, plus fécond, plus ténébreux, plus éblouissant qu'une fenêtre éclairée d'une chandelle. Ce qu'on peut voir au soleil est toujours moins intéressant que ce qui se passe derrière une vitre.

Dans ce trou noir ou lumineux vit la vie, rêve la vie, souffre la vie.

Par delà des vagues de toits, j'aperçois une femme mûre, ridée déjà, pauvre, toujours penchée sur quelque chose, et qui ne sort jamais. Avec son visage, avec son vêtement, avec son geste, avec très peu de données, j'ai refait l'histoire de cette femme, ou plutôt sa légende, et quelquefois je me la raconte à moi-même en pleurant.

Si c'eût été un pauvre vieux homme, j'aurais refait la sienne tout aussi aisément.

Et je me couche, fier d'avoir vécu et souffert dans d'autres que moi-même.

Peut-être me direz-vous : « Es-tu sûr que cette légende soit la vraie ? » Qu'importe ce que peut être la réalité placée hors de moi, si elle m'a aidé à vivre, à sentir que je suis et *ce que* je suis ?

Petits poèmes en prose, 1869.

Baudelaire inverse la situation traditionnelle qui veut que l'on « regarde au-dehors à travers une fenêtre ouverte ». Regarder du dehors une fenêtre fermée, c'est pénétrer dans l'intimité d'un autre qui est un peu l'image de nous-même. Cette assimilation est pour le poète le moyen de chercher son identité tâtonnante.

Innovations, révolutions

On associe souvent les noms de Verlaine et de Rimbaud en se souvenant de la tumultueuse amitié qui les unit pendant presque deux ans, jusqu'au jour où Verlaine tire sur Rimbaud deux coups de revolver. C'est à Bruxelles, en juillet 1873, et Verlaine — de dix ans l'aîné de Rimbaud — est condamné à de longs mois d'emprisonnement. Mais si l'aventure entre les deux poètes a été d'ordre passionnel, elle a également suscité une émulation esthétique.

Rimbaud, c'est la révolte adolescente, avec ses provocations scatologiques et ses douleurs rentrées, avec ses cibles favorites (la religion, le sentimentalisme niais, l'incapacité des gouvernants) et ses hurlements silencieux. Verlaine est fasciné par une telle fougue qui rejoint sa sensibilité inquiète et les revendications de sa sensualité. Mais si Verlaine profite des richesses de Rimbaud, ce dernier trouve encore plus d'avantages dans son compagnonnage avec l'auteur des *Fêtes galantes*. Verlaine est, en effet, le champion d'une nouvelle conception de l'art poétique.

Verlaine propose à la poésie de se replier sur la vie intérieure et de chanter l'indétermination qui caractérise les désirs de l'homme. « L'art, dit Verlaine, c'est d'être absolument soi-même. » Pour traduire les mystères indécis de l'âme humaine, Verlaine veut douer ses vers d'un pouvoir suggestif que seule la musique est à même de délivrer. Mais cette musique ne sera pas celle de l'alexandrin ; Verlaine préfère aux vers de douze pieds, des vers de trois, cinq, sept, neuf, onze ou treize syllabes. C'est là une façon de rompre subtilement avec l'éloquence de l'alexandrin que la poésie française a par trop privilégiée. Et puis Verlaine est le poète des sonorités discrètes. Il refuse les rimes riches, leur préférant l'assonance ou les rimes intérieures. Enfin, Verlaine ne cherche nullement les tournures syntaxiques compliquées. Il prise plutôt les accents de la langue parlée, plus prompts à donner une impression d'intimité.

Rimbaud introduira le rythme impair et une musicalité toute verlainienne dans ses poèmes de 1872, mais l'auteur du *Bateau ivre* s'orientera vite vers le poème en prose qu'il sent le plus à même d'accueillir l'illogisme nécessaire à toute écriture poétique. Car Rimbaud veut se faire « voyant par un long, immense et raisonné dérèglement de tous les sens ». Il veut connaître toutes les formes de l'amour et de la folie, et son « encrapulement » méthodique passe par le délire et l'hallucination. Tel est le parcours très personnel décrit dans *Une saison en enfer* (1873). Quant à *Illuminations* qui clôt l'œuvre éphémère de Rimbaud, c'est le lieu d'une remise en question du langage et des pouvoirs illusoires dont il est le théâtre.

Dans le même temps que Rimbaud, Lautréamont fait une brève apparition terrestre et lègue ses *Chants de Maldoror* à une postérité qui les ignorera longtemps, avant que les surréalistes n'en découvrent la force corrosive. Lautréamont entraîne, plus encore que Rimbaud, le lecteur dans un véritable cyclone de perversions.

Ignorées du vivant de leurs auteurs, les œuvres de Rimbaud et de Lautréamont apparaissent aujourd'hui comme de superbes annonciatrices de la modernité poétique. L'esprit corrosif et la fougue provocatrice sont devenus les alliés du poète dans son entreprise de subversion. Le poète, désormais, n'est plus celui qui est en communion avec quelque chose (c'était le cas des romantiques), c'est celui qui écrit contre quelque chose — et ce quelque chose, c'est souvent l'écriture elle-même.

PAUL VERLAINE

Mon rêve familier

Je fais souvent ce rêve étrange et pénétrant
D'une femme inconnue, et que j'aime, et qui m'aime
Et qui n'est, chaque fois, ni tout à fait la même
Ni tout à fait une autre, et m'aime et me comprend.

Car elle me comprend, et mon cœur, transparent
Pour elle seule, hélas ! cesse d'être un problème
Pour elle seule, et les moiteurs de mon front blême,
Elle seule les sait rafraîchir, en pleurant.

Est-elle brune, blonde ou rousse ? — Je l'ignore.
Son nom ? Je me souviens qu'il est doux et sonore
Comme ceux des aimés que la Vie exila.

Son regard est pareil au regard des statues,
Et, pour sa voix, lointaine, et calme, et grave, elle a
L'inflexion des voix chères qui se sont tues.

Poèmes saturniens, VI, 1866.

Au rêve romantique de la femme idéale, Verlaine substitue une rêverie plus souple et ondulante. La femme n'est plus sur un piédestal inaccessible, elle est changeante et aimante, et elle rappelle les « voix chères qui se sont tues ».

Dans ce sonnet intime qui rompt avec une conception romantique de la femme, Verlaine rompt également avec les rythmes traditionnels de la versification classique. Le rythme du vers 13 (1/3/2/2/2/2) marque la remontée saccadée jusqu'à la source musicale des voix aimées et réduites par la mort au silence.

Chanson d'automne

Les sanglots longs
Des violons
    De l'automne
Blessent mon cœur
D'une langueur
    Monotone.

Tout suffocant
Et blême, quand
    Sonne l'heure,
Je me souviens
Des jours anciens
    Et je pleure ;

Et je m'en vais
Au vent mauvais
    Qui m'emporte
Deçà, delà,
Pareil à la
    Feuille morte.

Poèmes saturniens, 1866.

*La nostalgie du passé et l'inquiétude de l'avenir sont
discrètement traduites par le rythme 4/4/3 qui donne
aux rimes presque répétitives une ampleur très suggestive. La musique règne.*

Il pleure dans mon cœur

Il pleut doucement sur la ville.
ARTHUR RIMBAUD

Il pleure dans mon cœur
Comme il pleut sur la ville.
Quelle est cette langueur
Qui pénètre mon cœur ?

Ô bruit doux de la pluie
Par terre et sur les toits !
Pour un cœur qui s'ennuie,
Ô le chant de la pluie !

Il pleure sans raison
Dans ce cœur qui s'écœure.
Quoi ! nulle trahison ?
Ce deuil est sans raison.

C'est bien la pire peine
De ne savoir pourquoi.
Sans amour et sans haine,
Mon cœur a tant de peine.

Romances sans paroles, 1874.

Étonnant poème qui semble davantage obéir à la loi de la respiration qu'au souci des liaisons grammaticales. Le pronom neutre et le verbe « être » servent de bases minimales à l'expression de sensations tout auditives.

Art poétique

De la musique avant toute chose,
Et pour cela préfère l'Impair,
Plus vague et plus soluble dans l'air,
Sans rien en lui qui pèse ou qui pose.

Il faut aussi que tu n'ailles point
Choisir tes mots sans quelque méprise :
Rien de plus cher que la chanson grise
Où l'Indécis au Précis se joint.

C'est des beaux yeux derrière des voiles,
C'est le grand jour tremblant de midi,
C'est, par un ciel d'automne attiédi,
Le bleu fouillis des claires étoiles !

Car nous voulons la Nuance encor,
Pas la Couleur, rien que la nuance !
Oh ! la nuance seule fiance
Le rêve au rêve et la flûte au cor !

Fuis du plus loin la Pointe assassine,
L'Esprit cruel et le Rire impur,
Qui font pleurer les yeux de l'Azur,
Et tout cet ail de basse cuisine !

Prends l'éloquence et tords-lui son cou !
Tu feras bien, en train d'énergie,
De rendre un peu la Rime assagie.
Si l'on n'y veille, elle ira jusqu'où ?

Ô qui dira les torts de la Rime !
Quel enfant sourd ou quel nègre fou
Nous a forgé ce bijou d'un sou
Qui sonne creux et faux sous la lime ?

De la musique encore et toujours !
Que ton vers soit la chose envolée
Qu'on sent qui fuit d'une âme en allée
Vers d'autres cieux à d'autres amours.

Que ton vers soit la bonne aventure
Éparse au vent crispé du matin
Qui va fleurant la menthe et le thym...
Et tout le reste est littérature.

Jadis et Naguère, 1884.

Écrit en 1874, mais publié en 1882, Art poétique *sera considéré comme un manifeste du symbolisme, bien que Verlaine ait recommandé de ne « pas prendre au pied de la lettre » cette « chanson ».*

Dans son apologie de la « musique », Verlaine veut surtout promouvoir le vers impair — coup de pied dans l'édifice de l'alexandrin — et clamer son dégoût de l'éloquence et de la rhétorique.

ARTHUR RIMBAUD

Les effarés

Noirs dans la neige et dans la brume,
Au grand soupirail qui s'allume,
  Leurs culs en rond

A genoux, cinq petits, — misère ! —
Regardent le boulanger faire
  Le lourd pain blond...

Ils voient le fort bras blanc qui tourne
La pâte grise, et qui l'enfourne
  Dans un trou clair.

Ils écoutent le bon pain cuire.
Le boulanger au gras sourire
  Chante un vieil air.

Ils sont blottis, pas un ne bouge,
Au souffle du soupirail rouge,
  Chaud comme un sein.

Et quand, pendant que minuit sonne,
Façonné, pétillant et jaune,
  On sort le pain,

Quand, sous les poutres enfumées,
Chantent les croûtes parfumées,
  Et les grillons,

Quand ce trou chaud souffle la vie
Ils ont leur âme si ravie
    Sous leurs haillons,

Ils se ressentent si bien vivre,
Les pauvres petits pleins de givre !
    — Qu'ils sont là, tous,

Collant leurs petits museaux roses
Au grillage, chantant des choses,
    Entre les trous,

Mais bien bas, — comme une prière...
Repliés vers cette lumière
    Du ciel rouvert,

— Si fort, qu'ils crèvent leur culotte,
— Et que leur lange blanc tremblote
    Au vent d'hiver...

Poésies.

Composé le 20 septembre 1870, Les effarés *montre la communion de Rimbaud avec de « pauvres petits » qui souffrent du froid et de la faim, mais qui aspirent aussi à la chaleur maternelle (le « soupirail » est « chaud comme un sein »).*

Roman

I

On n'est pas sérieux, quand on a dix-sept ans.
— Un beau soir, foin des bocks et de la limonade,
Des cafés tapageurs aux lustres éclatants !
— On va sous les tilleuls verts de la promenade.

Les tilleuls sentent bon dans les bons soirs de juin !
L'air est parfois si doux, qu'on ferme la paupière ;
Le vent chargé de bruits, — la ville n'est pas loin, —
A des parfums de vigne et des parfums de bière...

II

— Voilà qu'on aperçoit un tout petit chiffon
D'azur sombre, encadré d'une petite branche,
Piqué d'une mauvaise étoile, qui se fond
Avec de doux frissons, petite et toute blanche...

Nuit de juin ! Dix-sept ans ! — On se laisse griser.
La sève est du champagne et vous monte à la tête...
On divague ; on se sent aux lèvres un baiser
Qui palpite là, comme une petite bête...

III

Le cœur fou Robinsonne à travers les romans,
— Lorsque, dans la clarté d'un pâle réverbère,
Passe une demoiselle aux petits airs charmants,
Sous l'ombre du faux-col effrayant de son père...

Verlaine et Rimbaud à Londres.
Dessin de Félix Regamey.

Et, comme elle vous trouve immensément naïf,
Tout en faisant trotter ses petites bottines,
Elle se tourne, alerte et d'un mouvement vif...
— Sur vos lèvres alors meurent les cavatines...

IV

Vous êtes amoureux. Loué jusqu'au mois d'août.
Vous êtes amoureux. — Vos sonnets La font rire.
Tous vos amis s'en vont, vous êtes mauvais goût.
— Puis l'adorée, un soir, a daigné vous écrire...!

— Ce soir-là, ... — vous rentrez aux cafés éclatants,
Vous demandez des bocks ou de la limonade...
— On n'est pas sérieux, quand on a dix-sept ans
Et qu'on a des tilleuls verts sur la promenade.

29 septembre 70.

Poésies.

Rimbaud n'a pas encore seize ans lorsqu'il entreprend de se moquer du romantisme des jeunes gens de dix-sept ans que grise le moindre espoir d'amour. Mais la moquerie demeure très affectueuse et n'a pas la violence des poèmes ultérieurs.

Le dormeur du val

C'est un trou de verdure où chante une rivière
Accrochant follement aux herbes des haillons
D'argent ; où le soleil, de la montagne fière,
Luit : c'est un petit val qui mousse de rayons.

Un soldat jeune, bouche ouverte, tête nue,
Et la nuque baignant dans le frais cresson bleu,
Dort ; il est étendu dans l'herbe, sous la nue,
Pâle dans son lit vert où la lumière pleut.

Les pieds dans les glaïeuls, il dort. Souriant comme
Sourirait un enfant malade, il fait un somme.
Nature, berce-le chaudement : il a froid.

Les parfums ne font pas frissonner sa narine ;
Il dort dans le soleil, la main sur sa poitrine,
Tranquille. Il a deux trous rouges au côté droit.

Octobre 1870.

Poésies.

Inspiré par la guerre franco-prussienne de 1870, ce poème s'apparente à un petit tableau verdoyant, calme et serein. Mais la sérénité du sommeil dont témoignent les deux quatrains se transforme insensiblement en tragédie dans les tercets où le froid tend le relais au constat de la mort.

Ma bohème

Je m'en allais, les poings dans mes poches crevées ;
Mon paletot aussi devenait idéal,
J'allais sous le ciel, Muse ! et j'étais ton féal[1] ;
Oh ! là ! là ! que d'amours splendides j'ai rêvées !

1. Serviteur fidèle.

Mon unique culotte avait un large trou.
— Petit-Poucet rêveur, j'égrenais dans ma course
Des rimes. Mon auberge était à la Grande-Ourse.
— Mes étoiles au ciel avaient un doux frou-frou

Et je les écoutais, assis au bord des routes,
Ces bons soirs de septembre où je sentais des gouttes
De rosée à mon front, comme un vin de vigueur ;

Où, rimant au milieu des ombres fantastiques,
Comme des lyres, je tirais les élastiques
De mes souliers blessés, un pied près de mon cœur !

Poésies.

Ce poème est une parfaite illustration de la « bo-hème » rimbaldienne faite de rêves, de misère, de pro-menades à la belle étoile et surtout de complicité avec une « Muse » buissonnière.

Le bateau ivre

Comme je descendais des Fleuves impassibles,
Je ne me sentis plus guidé par les haleurs :
Des Peaux-Rouges criards les avaient pris pour cibles,
Les ayant cloués nus aux poteaux de couleurs.

J'étais insoucieux de tous les équipages,
Porteur de blés flamands ou de cotons anglais.
Quand avec mes haleurs ont fini ces tapages,
Les Fleuves m'ont laissé descendre où je voulais.

Dans les clapotements furieux des marées,
Moi, l'autre hiver[1], plus sourd que les cerveaux d'enfants,
Je courus ! Et les Péninsules démarrées
N'ont pas subi tohu-bohus plus triomphants.

La tempête a béni mes éveils maritimes.
Plus léger qu'un bouchon j'ai dansé sur les flots
Qu'on appelle rouleurs éternels de victimes,
Dix nuits, sans regretter l'œil niais des falots[2] !

Plus douce qu'aux enfants la chair des pommes sures,
L'eau verte pénétra ma coque de sapin
Et des taches de vins bleus et des vomissures
Me lava, dispersant gouvernail et grappin.

Et dès lors, je me suis baigné dans le Poème
De la Mer, infusé d'astres, et lactescent,
Dévorant les azurs verts ; où, flottaison blême
Et ravie, un noyé pensif parfois descend ;

Où, teignant tout à coup les bleuités, délires
Et rhythmes lents sous les rutilements du jour,
Plus fortes que l'alcool, plus vastes que nos lyres,
Fermentent les rousseurs amères de l'amour !

Je sais les cieux crevant en éclairs, et les trombes
Et les ressacs et les courants : je sais le soir,
L'Aube exaltée ainsi qu'un peuple de colombes,
Et j'ai vu quelquefois ce que l'homme a cru voir !

J'ai vu le soleil bas, taché d'horreurs mystiques,
Illuminant de longs figements violets,
Pareils à des acteurs de drames très antiques
Les flots roulant au loin leurs frissons de volets !

1. Allusion, peut-être, à la fugue de Rimbaud à Paris, en février 1871. —
2. Lanternes des ports.

J'ai rêvé la nuit verte aux neiges éblouies,
Baiser montant aux yeux des mers avec lenteurs,
La circulation des sèves inouïes,
Et l'éveil jaune et bleu des phosphores chanteurs !

J'ai suivi, des mois pleins, pareille aux vacheries
Hystériques, la houle à l'assaut des récifs,
Sans songer que les pieds lumineux des Maries
Pussent forcer le mufle aux Océans poussifs !

J'ai heurté, savez-vous, d'incroyables Florides
Mêlant aux fleurs des yeux de panthères à peaux
D'hommes ! Des arcs-en-ciel tendus comme des brides
Sous l'horizon des mers, à de glauques troupeaux !

J'ai vu fermenter les marais énormes, nasses
Où pourrit dans les joncs tout un Léviathan !
Des écroulements d'eaux au milieu des bonaces[1],
Et les lointains vers les gouffres cataractant !

Glaciers, soleils d'argent, flots nacreux, cieux de braises !
Échouages hideux au fond des golfes bruns
Où les serpents géants dévorés des punaises
Choient, des arbres tordus, avec de noirs parfums !

J'aurais voulu montrer aux enfants ces dorades
Du flot bleu, ces poissons d'or, ces poissons chantants.
— Des écumes de fleurs ont bercé mes dérades
Et d'ineffables vents m'ont ailé par instants.

Parfois, martyr lassé des pôles et des zones,
La mer dont le sanglot faisait mon roulis doux
Montait vers moi ses fleurs d'ombre aux ventouses jaunes
Et je restais, ainsi qu'une femme à genoux...

---

1. Accalmies.

Presque île, ballottant sur mes bords les querelles
Et les fientes d'oiseaux clabaudeurs aux yeux blonds.
Et je voguais, lorsqu'à travers mes liens frêles
Des noyés descendaient dormir, à reculons !

Or moi, bateau perdu sous les cheveux des anses,
Jeté par l'ouragan dans l'éther sans oiseau,
Moi dont les Monitors et les voiliers des Hanses
N'auraient pas repêché la carcasse ivre d'eau ;

Libre, fumant, monté de brumes violettes,
Moi qui trouais le ciel rougeoyant comme un mur
Qui porte, confiture exquise aux bons poètes,
Des lichens de soleil et des morves d'azur ;

Qui courait, taché de lunules électriques,
Planche folle, escorté des hippocampes noirs,
Quand les juillets faisaient crouler à coups de triques
Les cieux ultramarins aux ardents entonnoirs ;

Moi qui tremblais, sentant geindre à cinquante lieues
Le rut des Béhémots et les Maelstroms épais,
Fileur éternel des immobilités bleues,
Je regrette l'Europe aux anciens parapets !

J'ai vu des archipels sidéraux ! et des îles
Dont les cieux délirants sont ouverts au vogueur :
— Est-ce en ces nuits sans fonds que tu dors et t'exiles,
Million d'oiseaux d'or, ô future Vigueur ?

Mais, vrai, j'ai trop pleuré ! Les Aubes sont navrantes.
Toute lune est atroce et tout soleil amer :
L'âcre amour m'a gonflé de torpeurs enivrantes.
Ô que ma quille éclate ! Ô que j'aille à la mer !

Si je désire une eau d'Europe, c'est la flache[1]
Noire et humide où vers le crépuscule embaumé

1. Flaque d'eau dans le patois ardennais.

Un enfant accroupi plein de tristesse, lâche
Un bateau frêle comme un papillon de mai.

Je ne puis plus, baigné de vos langueurs, ô lames,
Enlever leur sillage aux porteurs de cotons,
Ni traverser l'orgueil des drapeaux et des flammes,
Ni nager sous les yeux horribles des pontons.

Poésies.

Écrit en septembre 1871, Le bateau ivre *décrit la folle dérive du poète et ses impressions («J'ai vu», «j'ai rêvé», «j'ai suivi», etc.), jusqu'au constat de la strophe 21 («Je regrette l'Europe aux anciens parapets») qui marque un regret du départ et le désir de se cantonner à la seule «flache» de son pays ardennais. Rimbaud semble ainsi condamner l'exotisme rêveur au profit d'une réalité bien circonscrite. On peut également estimer que la dérive exaltée du bateau symbolise les espoirs d'une victoire du mouvement révolutionnaire de la Commune et que la fin du poème traduit une déception et ramène aux rêves de l'enfance (cf. l'«enfant accroupi» qui «lâche/Un bateau frêle» dans la flaque d'eau).*

Voyelles

A noir, E blanc, I rouge, U vert, O bleu : voyelles,
Je dirai quelque jour vos naissances latentes :
A, noir corset velu des mouches éclatantes
Qui bombinent[1] autour des puanteurs cruelles,

Golfes d'ombre ; E, candeurs des vapeurs et des tentes,
Lances des glaciers fiers, rois blancs, frissons d'ombelles[2] ;

1. Bourdonnent. — 2. Fleurs en forme de bouquet.

I, pourpres, sang craché, rire des lèvres belles
Dans la colère ou les ivresses pénitentes ;

U, cycles, vibrements divins des mers virides[1],
Paix des pâtis semés d'animaux, paix des rides
Que l'alchimie imprime aux grands fronts studieux ;

Ô, suprême Clairon plein des strideurs étranges,
Silences traversés des Mondes et des Anges :
— Ô l'Oméga, rayon violet de Ses Yeux !

Poésies.

1. Vertes.

Ce célèbre sonnet a entraîné une foule d'explications. Chaque couleur aurait une valeur symbolique, voire érotique. Mais peut-être Rimbaud se laisse-t-il simplement aller à une fête du langage où les couleurs n'ont aucun rapport avec les voyelles qu'elles illustrent. Magistral coup de pied dans la prétendue logique des correspondances !

Départ

Assez vu. La vision s'est rencontrée à tous les airs.
Assez eu. Rumeurs des villes, le soir, et au soleil, et
[toujours.
Assez connu. Les arrêts de la vie. — Ô Rumeurs et
Départ dans l'affection et le bruit neufs !   [Visions !

Illuminations.

Trois brefs constats (« Assez... Assez... Assez... »), et c'est, sous le signe de l'exclamation, le départ libérateur. Concision et décision s'épousent.

LAUTRÉAMONT

Les Chants de Maldoror

Lecteur, c'est peut-être la haine que tu veux que j'invoque dans le commencement de cet ouvrage ! Qui te dit que tu n'en renifleras pas, baigné dans d'innombrables voluptés, tant que tu voudras, avec tes narines orgueilleuses, larges et maigres, en te renversant de ventre, pareil à un requin, dans l'air beau et noir, comme si tu comprenais l'importance de cet acte et l'importance non moindre de ton appétit légitime, lentement et majestueusement, les rouges émanations ? Je t'assure, elles réjouiront les deux trous informes de ton museau hideux, ô monstre, si toutefois tu t'appliques auparavant à respirer trois mille fois de suite la conscience maudite de l'Éternel ! Tes narines, qui seront démesurément dilatées de contentement ineffable, d'extase immobile, ne demanderont pas quelque chose de meilleur à l'espace, devenu embaumé comme de parfums et d'encens ; car, elles seront rassasiées d'un bonheur complet, comme les anges qui habitent dans la magnificence et la paix des agréables cieux.

*

J'établirai dans quelques lignes comment Maldoror fut bon pendant ses premières années, où il vécut heureux ; c'est fait. Il s'aperçut ensuite qu'il était né méchant : fatalité extraordinaire ! Il cacha son caractère tant qu'il put, pendant un grand nombre d'années ; mais, à la fin, à cause de cette concentration qui ne lui était pas naturelle, chaque jour le sang lui montait à la tête ; jusqu'à ce que, ne pouvant plus supporter une pareille vie, il se jeta résolument dans la carrière du mal... atmosphère douce ! Qui l'aurait dit ! lorsqu'il embrassait un petit enfant, au visage rose, il aurait voulu lui enlever ses joues avec un rasoir, et il l'aurait fait très souvent, si Justice, avec son long cortège de châtiments, ne l'en eût chaque fois empêché. Il n'était pas menteur, il avouait la vérité et disait qu'il était cruel. Humains, avez-vous entendu ? il ose le redire avec cette plume qui tremble ! Ainsi donc, il est une puissance plus forte que la volonté... Malédiction ! La pierre voudrait se soustraire aux lois de la pesanteur ! Impossible. Impossible, si le mal voulait s'allier avec le bien. C'est ce que je disais plus haut.

*

Il y en a qui écrivent pour rechercher les applaudissements humains, au moyen de nobles qualités du cœur que l'imagination invente ou qu'ils peuvent avoir. Moi, je fais servir mon génie à peindre les délices de la cruauté ! Délices non passagères, artificielles ; mais, qui ont commencé avec l'homme, finiront avec lui. Le génie ne peut-il pas s'allier avec la cruauté dans les résolutions secrètes de la Providence ? ou, parce qu'on est cruel, ne peut-on pas avoir du génie ? On en verra la preuve dans mes paroles ; il ne tient qu'à vous de m'écouter, si vous le voulez bien... Pardon, il me semblait que mes cheveux s'étaient dressés sur ma tête ; mais, ce n'est rien, car, avec ma main, je suis parvenu facilement à les remettre dans leur première position. Celui qui chante ne prétend pas que ses cavatines soient une chose inconnue ; au contraire, il se loue de ce que les pensées hautaines et méchantes de son héros soient dans tous les hommes.

Les Chants de Maldoror, I, 1869.

*C'est la provocation qui est reine, ici. Le poète se pro-
met de brusquer le lecteur et les « deux trous informes »
de son « museau hideux ». Il racontera donc l'histoire de
Maldoror, monstre cruel et apôtre du mal mais qui, si le
lecteur y songe bien, rassemble les instincts maléfiques
propres à tous les hommes. C'est des excès du mal que
doit sortir la vérité de l'homme, et non des « nobles qualités du cœur que l'imagination invente ».*

V

Le symbolisme
et ses prolongements

Le symbolisme connaît son acte de naissance officielle le 18 septembre 1886. Ce jour-là, le poète Jean Moréas publie dans *Le Figaro* un article intitulé « Le Symbolisme » qui sera reçu comme le manifeste de l'école littéraire nouvelle. Dans ce texte un peu confus, Moréas souligne surtout que la poésie symboliste est ennemie de « l'enseignement, la déclamation, la fausse sensibilité, la description objective ». Ces derniers termes visent clairement le Parnasse et son culte de l'objectivité, mais aussi le naturalisme, mouvement qui, autour de Zola, regroupe des romanciers attachés à la peinture du « milieu social ». Le triomphe du naturalisme est la raison majeure de la réaction symboliste qui est le fait d'esprits raffinés que rebutent le goût de l'observation exacte et les prétentions scientifiques des fidèles de Zola.

Le symbolisme est en fait un grand courant d'esprit idéaliste. Pour les symbolistes, la poésie est un moyen de connaissance qui mène à l'absolu. Elle ne se veut pas descriptive, mais plutôt suggestive et musicale pour atteindre, au-delà des apparences, le mystère des choses. L'école symboliste inaugurée par Moréas et appelée à connaître un large succès entre 1886 et 1900, a surtout retenu les leçons de Mallarmé pour qui l'obscurité est une nécessité de l'expression poétique. Aux yeux de Mallarmé, la poésie n'est pas un « art pour tous » mais une activité spirituelle réservée à une élite. « Toute chose sacrée et qui veut demeurer sacrée s'enveloppe de mystère », écrit Mallarmé qui demande au lecteur d'accepter le barrage de l'hermétisme pour mieux pénétrer ensuite, tel un initié, le mystère du monde. La lecture du poème ainsi sacralisé demande un réel effort, d'autant que Mallarmé utilise des mots rares et des phrases aux constructions acrobatiques. Le danger d'une telle esthétique réside évidemment dans le fait que le mystère recherché se transforme quelquefois en une absence radicale de communication !

C'est pourquoi les symbolistes, tout en célébrant Mallarmé, s'efforceront de ne pas épouser sa position trop hermétique. Certains se montreront plus sensibles à la musicalité d'un Verlaine, et d'autres seront requis surtout par la recherche du mot rare, de l'expression raffinée. Mais le courant symboliste est un grand fourre-tout où l'on trouve des poètes encore proches du Parnasse et des « décadents » qui aiment mêler au raffinement la familiarité ou l'incongruité de jeux de mots inattendus. C'est le cas de Jules Laforgue.

En réalité, les symbolistes ont laissé une production qui paraît aujourd'hui un peu datée et surannée. On ne lit plus guère les œuvres d'un Vielé-Griffin, d'un Henri de Régnier, d'un Gustave Kahn, gloires de l'époque. On leur est seulement reconnaissant d'avoir, pour la plupart, assuré le triomphe du vers libre. Grâce à eux, la longueur du vers et l'organisation de la strophe ne sont plus soumises à des règles fixes. La distinction entre le vers et la prose rythmée tend dès lors à s'effacer. Pourtant cette innovation, c'est moins chez les symbolistes eux-mêmes qu'on se plaît à la goûter, que chez quelques-uns de leurs successeurs plus enclins à la fantaisie et à une simplicité qui contraste avec le paralysant hermétisme mallarméen. Les « prières » de Francis Jammes et les « ballades » de Paul Fort s'adaptent avec bonheur au langage parlé et cachent une secrète rigueur sous une bonhomie feinte ou amusée.

Pourtant, Mallarmé n'est pas sans héritiers. Paul Valéry, qui fut le jeune visiteur du « maître », rêvait de maîtriser intellectuellement sa création (« J'ai toujours fait des vers en m'observant les faire », note-t-il), mais il renoncera brutalement à la poésie, jugeant vain de répéter Mallarmé. Quant à Paul Claudel, qui fréquenta, lui aussi, le cercle de Mallarmé, il refuse la description au profit de la « connaissance » et inscrit celle-ci dans une vaste genèse cosmique et divine dont témoignent les *Cinq Grande Odes* dans lesquelles il utilise le verset qu'on peut définir comme une phrase ou une suite de phrases rythmées d'une seule respiration.

STÉPHANE MALLARMÉ

L'Azur

De l'éternel azur la sereine ironie
Accable, belle indolemment comme les fleurs,
Le poëte impuissant qui maudit son génie
A travers un désert stérile de Douleurs.

Fuyant, les yeux fermés, je le sens qui regarde
Avec l'intensité d'un remords atterrant,
Mon âme vide. Où fuir ? Et quelle nuit hagarde
Jeter, lambeaux, jeter sur ce mépris navrant ?

Brouillards, montez ! Versez vos cendres monotones
Avec de longs haillons de brume dans les cieux
Qui noiera le marais livide des automnes
Et bâtissez un grand plafond silencieux !

Et toi, sors des étangs léthéens[1] et ramasse
En t'en venant la vase et les pâles roseaux,
Cher Ennui, pour boucher d'une main jamais lasse
Les grands trous bleus que font méchamment les oiseaux.

Encor ! que sans répit les tristes cheminées
Fument, et que de suie une errante prison
Éteigne dans l'horreur de ses noires traînées
Le soleil se mourant jaunâtre à l'horizon !

---

1. Le Léthé est, dans la mythologie grecque, le fleuve qui apporte l'oubli.

— Le Ciel est mort. — Vers toi, j'accours ! donne, ô
L'oubli de l'Idéal cruel et du Péché   [matière,
A ce martyr qui vient partager la litière
Où le bétail heureux des hommes est couché,

Car j'y veux, puisque enfin ma cervelle, vidée
Comme le pot de fard gisant au pied du mur,
N'a plus l'art d'attifer la sanglotante idée,
Lugubrement bâiller vers un trépas obscur...

En vain ! l'Azur triomphe, et je l'entends qui chante
Dans les cloches. Mon âme, il se fait voix pour plus
Nous faire peur avec sa victoire méchante,
Et du métal vivant sort en bleus angélus !

Il roule par la brume, ancien et traverse
Ta native[1] agonie ainsi qu'un glaive sûr ;
Où fuir dans la révolte inutile et perverse ?
Je suis hanté. L'Azur ! l'Azur ! l'Azur ! l'Azur !

Poésies, 1887.

1. Naturelle, apportée de naissance.

    Ce poème exprime le conflit entre le ciel, symbole de l'absolu, et l'homme qui, assoiffé d'absolu, se sent voué à l'impuissance. Ce dernier peut se donner l'illusion de triompher en proclamant : « Le Ciel est mort », mais son triomphe sera vain. L'Azur — véritable hantise et obsession du poète — revient, et c'est lui qui, toujours, triomphe.
    L'absolu n'est qu'un rêve romantique, et Mallarmé conviendra que la poésie ne doit viser qu'à une « action restreinte ».

Mallarmé. Portrait par Whistler.

PAUL VALÉRY

Les pas

Tes pas, enfants de mon silence,
Saintement, lentement placés,
Vers le lit de ma vigilance
Procèdent muets et glacés.

Personne pure, ombre divine,
Qu'ils sont doux, tes pas retenus !
Dieux !... tous les dons que je devine
Viennent à moi sur ces pieds nus !

Si, de tes lèvres avancées,
Tu prépares pour l'apaiser,
A l'habitant de mes pensées
La nourriture d'un baiser,

Ne hâte pas cet acte tendre,
Douceur d'être et de n'être pas,
Car j'ai vécu de vous attendre,
Et mon cœur n'était que vos pas.

Charmes, 1922.

Valéry restitue un climat d'attente qui était cher aux symbolistes. Suivant en cela le conseil de Mallarmé, il suggère plus qu'il ne décrit. Le poète voudrait comme retarder l'arrivée de celle dont il entend les pas et qui est davantage une image du désir qu'une compagne réelle. Le poète se livre en fait à une méditation narcissique.

PAUL CLAUDEL

Ténèbres

Je suis ici, l'autre est ailleurs, et le silence est terrible :
Nous sommes des malheureux et Satan nous vanne dans son crible.
Je souffre, et l'autre souffre, et il n'y a point de chemin
Entre elle et moi, de l'autre à moi point de parole ni de main.
Rien que la nuit qui est commune et incommunicable,
La nuit où l'on ne fait point d'œuvre et l'affreux amour impraticable,
Je prête l'oreille, et je suis seul, et la terreur m'envahit.
J'entends la ressemblance de sa voix et le son d'un cri.
J'entends un faible vent et mes cheveux se lèvent sur ma tête.
Sauvez-la du danger de la mort et de la gueule de la Bête !
Voici de nouveau le goût de la mort entre mes dents,
La tranchée, l'envie de vomir et le retournement.
J'ai été seul dans le pressoir, j'ai foulé le raisin dans mon délire,
Cette nuit où je marchais d'un mur à l'autre en éclatant de rire.
Celui qui a fait les yeux, sans yeux est-ce qu'il ne me verra pas ?
Celui qui a fait les oreilles, est-ce qu'il ne m'entendra pas sans oreilles ?
Je sais que là où le péché abonde, là Votre miséricorde surabonde.
Il faut prier, car c'est l'heure du Prince du monde.

1905.

Corona Benignitatis Anni Dei, 1915.

Ce poème a été écrit en 1905 après le retour de Claudel de Chine où il a rencontré une femme, Ysé.

Claudel clame les ténébreuses souffrances de la séparation, avant de célébrer Dieu, ce « Prince du monde » dont la « miséricorde surabonde ».

Soucieux de conserver au langage sa nature orale, Claudel utilise le verset dont le rythme lent et long veut épouser l'ample respiration d'un monde créé par Dieu.

FRANCIS JAMMES

Prière pour aller au paradis
avec les ânes

Lorsqu'il faudra aller vers vous, ô mon Dieu, faites
que ce soit par un jour où la campagne en fête
poudroiera. Je désire, ainsi que je fis ici-bas,
choisir un chemin pour aller, comme il me plaira,
au Paradis, où sont en plein jour les étoiles.
Je prendrai mon bâton et sur la grande route
j'irai, et je dirai aux ânes, mes amis :
Je suis Francis Jammes et je vais au Paradis,
car il n'y a pas d'enfer au pays du Bon-Dieu.
Je leur dirai : Venez, doux amis du ciel bleu,
pauvres bêtes chéries qui, d'un brusque mouvement
   d'oreille,
chassez les mouches plates, les coups et les abeilles...
Que je vous apparaisse au milieu de ces bêtes
que j'aime tant parce qu'elles baissent la tête
doucement, et s'arrêtent en joignant leurs petits pieds
d'une façon bien douce et qui vous fait pitié.
J'arriverai suivi de leurs milliers d'oreilles,
suivi de ceux qui portèrent au flanc des corbeilles,
de ceux traînant des voitures de saltimbanques
ou des voitures de plumeaux et de fer-blanc,
de ceux qui ont au dos des bidons bossués,
des ânesses pleines comme des outres, aux pas cassés,
de ceux à qui l'on met de petits pantalons
à cause des plaies bleues et suintantes que font
les mouches entêtées qui s'y groupent en ronds.
Mon Dieu, faites qu'avec ces ânes je vous vienne.

Faites que dans la paix, des anges nous conduisent
vers des ruisseaux touffus où tremblent des cerises
lisses comme la chair qui rit des jeunes filles,
et faites que, penché dans ce séjour des âmes,
sur vos divines eaux, je sois pareil aux ânes
qui mireront leur humble et douce pauvreté
à la limpidité de l'amour éternel.

Le Deuil des primevères, 1901.

*Le voyage vers la mort prend chez Francis Jammes
des allures paradisiaques. Les ânes l'accompagnent jusqu'au « pays du Bon-Dieu », et ces animaux généralement dénigrés (cf. le bonnet d'âne, « têtu comme un
âne ») deviennent les humbles et doux complices de
l'accession à « la limpidité de l'amour éternel ».*

*Si Jammes utilise l'alexandrin, il prend avec lui toutes
les libertés (il oublie parfois la rime et n'hésite pas à
dépasser les douze pieds).*

Par le petit garçon...

Agonie

Par le petit garçon qui meurt près de sa mère
tandis que des enfants s'amusent au parterre ;
et par l'oiseau blessé qui ne sait pas comment
son aile tout à coup s'ensanglante et descend ;
par la soif et la faim et le délire ardent :
    Je vous salue, Marie.

Flagellation

Par les gosses battus par l'ivrogne qui rentre,
par l'âne qui reçoit des coups de pied au ventre,
par l'humiliation de l'innocent châtié,
par la vierge vendue qu'on a déshabillée,
par le fils dont la mère a été insultée :
     Je vous salue, Marie.

Couronnement d'épines

Par le mendiant qui n'eut jamais d'autre couronne
que le vol des frelons, amis des vergers jaunes,
et d'autre sceptre qu'un bâton contre les chiens ;
par le poète dont saigne le front qui est ceint
des ronces des désirs que jamais il n'atteint :
     Je vous salue, Marie.

Portement de Croix

Par la vieille qui, trébuchant sous trop de poids,
s'écrie « Mon Dieu ! » Par le malheureux dont les bras
ne purent s'appuyer sur une amour humaine
comme la Croix du Fils sur Simon de Cyrène ;
par le cheval tombé sous le chariot qu'il traîne :
     Je vous salue, Marie.

Crucifiement

Par les quatre horizons qui crucifient le Monde,
par tous ceux dont la chair se déchire ou succombe,
par ceux qui sont sans pieds, par ceux qui sont sans mains,
par le malade que l'on opère et qui geint

et par le juste mis au rang des assassins :
Je vous salue, Marie.

L'Église habillée de feuilles, 1906.

Cet hymne à Marie, composé par Francis Jammes après sa conversion religieuse, est en fait un hymne à tous les miséreux, à tous les humiliés (y compris le poète) de ce monde, à tous ceux qui ne peuvent compter sur un Simon de Cyrène, personnage qui aida le Christ à porter sa croix.

Le poème, mis en musique par Georges Brassens, illustre plusieurs scènes du Chemin de croix.

PAUL FORT

Complainte
du petit cheval blanc

Le petit cheval dans le mauvais temps, qu'il avait donc
du courage ! C'était un petit cheval blanc, tous derrière et lui
devant.

Il n'y avait jamais de beau temps dans ce pauvre paysage.
Il n'y avait jamais de printemps, ni derrière ni devant.

Mais toujours il était content, menant les gars du village,
à travers la pluie noire des champs, tous derrière et lui
devant.

Sa voiture allait poursuivant sa belle petite queue sauvage. C'est alors qu'il était content, eux derrière et lui
devant.

Mais un jour, dans le mauvais temps, un jour qu'il était si
sage, il est mort par un éclair blanc, tous derrière et lui
devant.

Il est mort sans voir le beau temps, qu'il avait donc du
courage ! Il est mort sans voir le printemps ni derrière ni
devant.

Ballades françaises.

*Cette célèbre « complainte » que Georges Brassens a
inscrite à son répertoire, brosse un tableau faussement*

naïf de la destinée du « petit cheval blanc ». Le vocabu-
laire utilisé est volontairement pauvre, mais il met
d'autant mieux en relief une tragédie sans aucune
échappée possible « ni derrière ni devant ».

La corde

« Pourquoi renouer l'amourette ? C'est-y bien la peine
d'aimer ? Le câble est cassé, fillette. C'est-y toi qu'a trop
tiré ?

C'est-y moi ? C'est-y un autre ? C'est-y le bon Dieu des
Chrétiens ? Il est cassé ; c'est la faute à personne ; on le sait
bien.

L'amour, ça passe dans tant de cœurs ; c'est une corde à
tant d'vaisseaux, et ça passe dans tant d'anneaux, à qui la
faute si ça s'use ?

Y a trop d'amoureux sur terre, à tirer sur l'même péché.
C'est-y la faute à l'amour, si sa corde est si usée ?

Pourquoi renouer l'amourette ? C'est-y bien la peine
d'aimer ? Le câble est cassé, fillette, et c'est toi qu'a trop
tiré. »

Ballades françaises.

*Dans un langage qui mime le parler populaire (« c'est-
y », « y a trop », etc.), Paul Fort écrit un poème pitto-
resque qui montre la fragilité et la précarité de l'amour,
sentiment qui n'est guère plus solide qu'une corde.*

Les aventures de l'écriture

I

L'esprit nouveau

En 1917, Guillaume Apollinaire prononce une conférence sur « l'esprit nouveau » — formule souvent reprise et qui traduit bien l'effervescence d'une période qu'est venue ponctuer la première guerre mondiale. Tous les jeunes créateurs ont un appétit de nouveauté et ne croient plus aux valeurs esthétiques du siècle passé. Le machinisme, le lancement des premiers aéroplanes suscitent un réel enthousiasme, et maints artistes veulent célébrer le monde moderne en plein changement. Le culte de la vitesse se répand. Les manifestes littéraires pullulent, qui aspirent à prendre en charge les métamorphoses ambiantes. En 1909, l'Italien Marinetti a lancé son manifeste du « futurisme » où il préconise l'avènement d'une esthétique de la vitesse et de l'énergie. L'approche de la première guerre mondiale galvanise les esprits, comme s'il fallait s'exprimer totalement avant la catastrophe pressentie. Ainsi, l'année 1913 est l'une des plus riches de l'histoire littéraire de ce siècle.

Cette guerre va entraîner de violents mouvements de révolte de la part des jeunes artistes. En 1916, à Zurich, le Roumain Tristan Tzara lance le mouvement « Dada » ; l'étiquette est volontairement dérisoire et implique un refus total de la littérature. Dada, c'est la dérision absolue, la provocation, la tentative de mettre en déroute les valeurs bourgeoises responsables du grand crime qui saignera l'Europe pendant plus de quatre ans. André Breton sera très sensible à la révolte dadaïste et la soutiendra quelque temps aux côtés de Tzara venu à Paris au sortir de la guerre. Mais Breton estimera bientôt qu'à la destruction dadaïste doit succéder la conquête surréaliste. Le surréalisme dont Breton définit les grandes lignes dans un premier « Manifeste » de

1924 veut être une « dictée de la pensée, en l'absence de tout contôle exercé par la raison, en dehors de toute préoccupation esthétique ou morale ». Le surréalisme privilégie donc le rêve, le hasard, les vases qui communiquent entre la vie consciente et les manifestations de l'inconscient. Breton et ses amis (Éluard, Aragon...) seront à l'écoute du merveilleux qui surgit des rencontres, quelque forme qu'elles prennent, et auront le souci de se maintenir dans un état de disponibilité propice aux révélations de la surprise.

Les surréalistes n'auront de cesse de rendre hommage à Guillaume Apollinaire qui s'est imposé comme le maître incontesté de toutes les avant-gardes avant sa mort prématurée en 1918. Apollinaire, c'est non seulement celui qui s'est débarrassé de toute ponctuation dans *Alcools*, en 1913, c'est également l'inventeur du « poème-conversation » (au lieu de chercher l'inspiration, l'écrivain se contente d'enregistrer des bribes de conversation et de les noter sur la page) et le créateur des « calligrammes » (poèmes qui prennent la forme d'un dessin et qui se lisent suivant les sinuosités graphiques). Apollinaire, c'est surtout le poète qui, après avoir fréquenté l'atelier des peintres cubistes et de Picasso, s'est fortifié dans l'idée que les poètes devaient accomplir une révolution semblable à celle de ses amis peintres. La réalité « éclatée » des toiles cubistes (qu'on a souvent comparée à la vision que livre un miroir brisé), Apollinaire voudra l'imposer à son tour dans ses poèmes. Un poète comme Pierre Reverdy aura le même souci, à la même époque. Quant à Blaise Cendrars, dont l'œuvre brasse euphoriquement des sensations transcrites à l'état brut, il participe, en dehors de toute école, de cette effervescence de l'« esprit nouveau » dont le plus bel apport aura été un changement radical des mentalités et un goût effréné de l'innovation où l'humour et la fantaisie font vigilante escorte.

GUILLAUME APOLLINAIRE

Le pont Mirabeau

Sous le pont Mirabeau coule la Seine
    Et nos amours
   Faut-il qu'il m'en souvienne
La joie venait toujours après la peine

      Vienne la nuit sonne l'heure
      Les jours s'en vont je demeure

Les mains dans les mains restons face à face
    Tandis que sous
   Le pont de nos bras passe
Des éternels regards l'onde si lasse

      Vienne la nuit sonne l'heure
      Les jours s'en vont je demeure

L'amour s'en va comme cette eau courante
    L'amour s'en va
   Comme la vie est lente
Et comme l'Espérance est violente

      Vienne la nuit sonne l'heure
      Les jours s'en vont je demeure

Passent les jours et passent les semaines
    Ni temps passé
   Ni les amours reviennent
Sous le pont Mirabeau coule la Seine

      Vienne la nuit sonne l'heure
      Les jours s'en vont je demeure

Alcools, 1913.

Grand amoureux du présent — de ce présent qu'est la vie —, Apollinaire dit son désaccord avec la fuite du temps illustrée par la Seine coulant sous le pont Mirabeau

Une tension mélancolique anime le refrain dont le « Je demeure » peut être interprété comme une bénéfique marque de résistance au passage du temps.

Apollinaire a supprimé de son poème toute ponctuation afin que le lecteur lui imprime librement son rythme propre.

La petite auto

Le 31 du mois d'Août 1914
Je partis de Deauville un peu avant minuit
Dans la petite auto de Rouveyre

Avec son chauffeur nous étions trois

Nous dîmes adieu à toute une époque
Des géants furieux se dressaient sur l'Europe
Les aigles quittaient leur aire attendant le soleil
Les poissons voraces montaient des abîmes
Les peuples accouraient pour se connaître à fond
Les morts tremblaient de peur dans leurs sombres
  demeures

Les chiens aboyaient vers là-bas où étaient les frontières
Je m'en allais portant en moi toutes ces armées qui
  se battaient
Je les sentais monter en moi et s'étaler les contrées
  où elles serpentaient
Avec les forêts les villages heureux de la Belgique
Francorchamps avec l'Eau Rouge et les pouhons

Illustration de Braque pour un poème d'Apollinaire.

Région par où se font toujours les invasions
Artères ferroviaires où ceux qui s'en allaient mourir
saluaient encore une fois la vie colorée
Océans profonds où remuaient les monstres
Dans les vieilles carcasses naufragées
Hauteurs inimaginables où l'homme combat
Plus haut que l'aigle ne plane
L'homme y combat contre l'homme
Et descend tout à coup comme une étoile filante
Je sentais en moi des êtres neufs pleins de dextérité
Bâtir et aussi agencer un univers nouveau
Un marchand d'une opulence inouïe et d'une taille
    prodigieuse
Disposait un étalage extraordinaire
Et des bergers gigantesques menaient
De grands troupeaux muets qui broutaient les paroles
Et contre lesquels aboyaient tous les chiens sur la route

Je n'oublierai jamais ce voyage nocturne où nul de nous ne dit un mot

     Ô
dé   ô
part   nuit
sombre   tendre   ô   se h â t
où mouraient d'avant vil   t   n
nos 3 phares la guerre lages où a   c
                            s

MARÉCHAUX-FERRANTS RAPPELÉS

ENTRE   MINUIT ET UNE HEURE DU MATIN

    v   éclaté
   e   r   s   ou bien   v
  LISIEUX   e r s
  l a t r è s   a i l l e
   b l e u   s d ' o
    e   r

et 3 fois nous nous arrêtâmes pour changer un pneu qui avait éclaté

Et quand après avoir passé l'après-midi
Par Fontainebleau
Nous arrivâmes à Paris
Au moment où l'on affichait la mobilisation
Nous comprîmes mon camarade et moi
Que la petite auto nous avait conduits dans une époque
                              Nouvelle
Et bien qu'étant déjà tous deux des hommes mûrs
Nous venions cependant de naître

Calligrammes, 1918.

La déclaration de la première guerre mondiale annonce la fin d'une époque (la Belle Époque) et la naissance à « une époque nouvelle », à « un univers nouveau » fait du bruit et de la fureur des armes, mais également propice à une fantaisie qu'exprime le calligramme[1] où l'on peut deviner la « petite auto » d'Apollinaire et de son ami, le dessinateur André Rouveyre, en chemin vers Paris où la mobilisation est décrétée.

C'est un véritable voyage vers une seconde naissance.

---

1. Le calligramme introduit dans *La petite auto* représente très clairement, sur le manuscrit que Michel Décaudin nous a permis de consulter (qu'il en soit vivement remercié), une automobile qui aborde un virage avec ses deux passagers. A l'endroit du volant, on peut lire (ce qui était impossible dans toutes les éditions antérieures) : « où se hâtaient les », et l'on poursuit avec « MARÉCHAUX FERRANTS RAPPELÉS »...

Cœur couronne et miroir

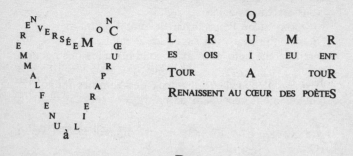

Calligrammes, 1918.

Ce calligramme figure un cœur, une couronne et un miroir, et exige de l'œil qu'il lise non seulement de gauche à droite, mais aussi de bas en haut et de haut en bas. Le poète a inscrit son nom au cœur du miroir, magistral couronnement narcissique.

BLAISE CENDRARS

OpOetic

à Jean COctO

quels crimes ne
cOmmet-On pas
en tOn nOm!

Il y avait une fOis des pOètes qui parlaient la bOuche en
  rOnd
ROnds dc saucissOn ses beaux yeux et fum*ée*
Les cheveux d'Ophélie Ou celle parfum*ée*
D'Orph*ée*
Tu rOtes des rOnds de chapeau pOur trOuver une rime en *ée*-
  aiguë cOmme des dents qui grignOteraient tes vers
BOuche b*ée*
Puisque tu fumes pOurquOi ne répètes-tu fum*ée*
C'est trOp facile Ou c'est trOp difficile
Les 7 PiOns et les Dames sOnt là pOur les virgules
Oh POE sie
Ah ! Oh !
CacaO

Puisque tu prends le tram pOurquOi n'écris-tu pas tram-
  w*ée*
VOis la grimace écrite de ce mOt bien franc*ée*
Le clOwn anglais la fait avec ses jambes
COmme l'AmOur l'Arétin
L'Esprit jalOuse l'affiche du cirque et les pOstures alphabé-
  tiques de l'hOmme-serpent
Où sOnt les pOètes qui parlent la bOuche en rOnd ?

Il faut leur assOuplir les O s. z enfant h

POESIE

Nov. 16.

Sonnets dénaturés, 1923.

© Éditions Denoël.

La poétique de Cendrars repose sur un effet d'optique où le O est roi (jusqu'à contaminer le nom de Jean Cocteau). Quant aux terminaisons en -ée, elles finissent par s'imposer au mépris de l'orthographe, tandis que le grand O final désigne à la fois les « os », l'exclamation « Oh » et le peintre « Ozenfant » connu dans les milieux d'avant-garde.

Poème à lire autant qu'à voir (avec ses attirantes touches de O).

TRISTAN TZARA

Chanson dada

I

la chanson d'un dadaïste
qui avait dada au cœur
fatiguait trop son moteur
qui avait dada au cœur

l'ascenseur portait un roi
lourd fragile autonome
il coupa son grand bras droit
l'envoya au pape à rome

c'est pourquoi
l'ascenseur
n'avait plus dada au cœur

mangez du chocolat
lavez votre cerveau
dada
dada
buvez de l'eau

II

la chanson d'un dadaïste
qui n'était ni gai ni triste
et aimait une bicycliste
qui n'était ni gaie ni triste

mais l'époux le jour de l'an
savait tout et dans une crise
envoya au vatican
leurs deux corps en trois valises

ni amant
ni cycliste
n'étaient plus ni gais ni tristes

mangez de bons cerveaux
lavez votre soldat
dada
dada
buvez de l'eau

III

la chanson d'un bicycliste
qui était dada de cœur
qui était donc dadaïste
comme tous les dadas de cœur

un serpent portait des gants
il ferma vite la soupape
mit des gants en peau d'serpent
et vint embrasser le pape

c'est touchant
ventre en fleur
n'avait plus dada au cœur

buvez du lait d'oiseaux
lavez vos chocolats
dada
dada
mangez du veau

De nos oiseaux, 1923.

« *Dada* » *est la formule passe-partout, le mot à tout faire qui anime ces chansons truffées de slogans publicitaires* (« *mangez du chocolat* ») *et de leur dérèglement progressif (fin de II et III).*

Le veau et l'eau s'inscrivent dans une écriture qui se plaît à aller à vau-l'eau ! Les majuscules sont répudiées (rome, vatican, pape...), et certaine désacralisation s'accorde bien avec le loufoque de l'histoire.

Dada dit « *merde* » *à la littérature sérieuse et bourgeoise.*

PIERRE REVERDY

Nomade

La porte qui ne s'ouvre pas
La main qui passe
               Au loin un verre qui se casse
La lampe fume
Les étincelles qui s'allument
               Le ciel est plus noir
               Sur les toits

Quelques animaux
Sans leur ombre
               Un regard
               Une tache sombre

La maison où l'on n'entre pas

Plupart du temps, 1945.

Le poème de Reverdy obéit à une disposition très picturale. L'œil erre d'un vers à l'autre, et les « blancs » du texte nous invitent à une suspension rêveuse et nomade.

Le poème est fait de quelques constats (mouvement, bruit et surtout couleurs sombres) et insiste, au début et à la fin, sur l'impossibilité d'une pénétration (non seulement de la maison mais de la subjectivité qu'elle recèle). Reverdy n'analyse pas, il note comme un peintre.

ANDRÉ BRETON

Tournesol

A Pierre Reverdy

La voyageuse qui traversa les Halles à la tombée de l'été
Marchait sur la pointe des pieds
Le désespoir roulait au ciel ses grands arums si beaux
Et dans le sac à main il y avait mon rêve ce flacon de
    sels
Que seule a respirés la marraine de Dieu
Les torpeurs se déployaient comme la buée
Au Chien qui fume
Où venaient d'entrer le pour et le contre
La jeune femme ne pouvait être vue d'eux que mal et de
    biais
Avais-je affaire à l'ambassadrice du salpêtre
Ou de la courbe blanche sur fond noir que nous appe-
    lons pensée
Le bal des innocents battait son plein
Les lampions prenaient feu lentement dans les marron-
    niers
La dame sans ombre s'agenouilla sur le Pont au Change
Rue Gît-le-Cœur les timbres n'étaient plus les mêmes
Les promesses des nuits étaient enfin tenues
Les pigeons voyageurs les baisers de secours
Se joignaient aux seins de la belle inconnue
Dardés sous le crêpe des significations parfaites
Une ferme prospérait en plein Paris
Et ses fenêtres donnaient sur la voie lactée
Mais personne ne l'habitait encore à cause des survenants

Des survenants qu'on sait plus dévoués que les revenants
Les uns comme cette femme ont l'air de nager
Et dans l'amour il entre un peu de leur substance
Elle les intériorise
Je ne suis le jouet d'aucune puissance sensorielle
Et pourtant le grillon qui chantait dans les cheveux de
    cendre
Un soir près de la statue d'Étienne Marcel
M'a jeté un coup d'œil d'intelligence
André Breton a-t-il dit passe

Clair de terre, 1923.

Dans L'Amour fou *(1937), Breton raconte sa troublante rencontre avec une femme et constate que* Tournesol *en était la préfiguration, plus de dix ans avant.*
C'est, en effet, dans le quartier des Halles et de son restaurant Le Chien qui fume *que Breton fait la rencontre de « la belle inconnue » qui exerce la profession de nageuse en aquarium dans un cabaret (« les uns comme cette femme ont l'air de nager »).*
L'écriture surréaliste est comme un grand rêve éveillé qui se doit de trouver toujours un prolongement dans la vie.

Jouer avec le langage

Stéphane Mallarmé a beaucoup contribué à une sacralisation du langage poétique. Son disciple Paul Valéry célébrera encore l'« Honneur des Hommes, Saint Langage » et maints créateurs suivront ce chemin en faisant une confiance absolue au Verbe. Mais il est d'autres voix qui s'élèveront pour remettre en question le pouvoir des mots. Les dadaïstes ont puissamment contribué à une démystification du langage conçu comme le véhicule maîtrisé de la Vérité. Loin d'avoir une quelconque maîtrise sur les mots, beaucoup de poètes préféreront se laisser entraîner par eux. Les surréalistes prôneront ainsi quelque temps l'écriture automatique où il s'agit de capter tout ce qui vous passe par la tête. Des poètes comme Max Jacob ou comme Robert Desnos (qui fut un des champions de l'écriture automatique dans le groupe surréaliste) ne reculent ni devant le jeu de mots ni devant la contrepèterie ; ils laissent les mots aller où ils les mènent, « pour voir ». C'est là une façon pour le poète de déléguer aux mots une part de sa responsabilité et d'abandonner le promontoire qui faisait de lui un mage, un prophète ou un démiurge.

Mais jouer avec le langage n'est pas seulement un moyen de se démarquer d'une conception sacralisée de la poésie. Si le poète ne croit plus en son pouvoir quasi divin, il ne peut pour autant s'en remettre complètement aux mots. Jean Tardieu les perçoit « tellement élimés, distendus, que l'on peut voir le jour au travers ». Le langage devient donc le lieu d'une suspicion permanente et peut dès lors entraîner une sorte de rage autodestructrice comme dans l'œuvre d'Henri Michaux. Il prend une forme plus gentiment corrosive sous la plume d'un Jacques Prévert. Quoi qu'il en soit, l'humour et l'ironie qui s'inscrutent dans les mots ne visent pas à quelque amusement superficiel mais impliquent une interrogation plus générale sur l'homme et ses pouvoirs. Peut-on à ce propos parler d'un pouvoir du langage qui serait à même de conjurer la mort ? A ces questions fort sérieuses, quelques poètes répondent donc (ou ne répondent pas) par des textes où le ludisme est roi.

L'entreprise de Francis Ponge est, elle aussi, très ludique. L'auteur du *Parti pris des choses* explore toutes les richesses du langage en recourant à l'étymologie, aux différentes définitions données par le Littré, aux surprises nées des sonorités. La méditation active sur les mots est la meilleure façon pour Ponge de rendre compte des choses, car les mots sont, eux aussi, des objets. Et la poésie n'est peut-être finalement qu'un jeu sur les objets que sont à leur manière les mots et les choses — ce que Ponge appelle malicieusement l'« objeu ».

Jouer avec le langage n'est donc pas un simple divertissement, c'est un moyen de contester le pouvoir trop généreusement accordé aux mots, tout en s'efforçant d'en extraire les secrets les plus inattendus.

MAX JACOB

Avenue du Maine

Les manèges déménagent.
Manège, ménageries, où ?... et pour quels voyages ?
Moi qui suis en ménage
Depuis... ah ! il y a bel âge !
De vous goûter, manèges,
Je n'ai plus... que n'ai-je ?...
L'âge.
Les manèges déménagent.
Ménager manager
De l'avenue du Maine
Qui ton manège mène
Pour mener ton ménage !

Ménage ton ménage
Manège ton manège.
Ménage ton manège.
Manège ton ménage.
Mets des ménagements
Au déménagement.
Les manèges déménagent,
Ah ! vers quels mirages ?
Dites pour quels voyages
Les manèges déménagent.

Les Œuvres burlesques et mystiques de frère Matorel, 1912.

*Tout le poème est une variation sur les mots « ma-
nège » et « ménage », une libre improvisation sur des
sonorités croisées et croissantes.*

ROBERT DESNOS

C'était un bon copain

Il avait le cœur sur la main
Et la cervelle dans la lune
C'était un bon copain
Il avait l'estomac dans les talons
Et les yeux dans nos yeux
C'était un triste copain
Il avait la tête à l'envers
Et le feu là où vous pensez
Mais non quoi il avait le feu au derrière
C'était un drôle de copain
Quand il prenait ses jambes à son cou
Il mettait son nez partout
C'était un charmant copain
Il avait une dent contre Étienne
A la tienne Étienne à la tienne mon vieux
C'était un amour de copain
Il n'avait pas sa langue dans la poche
Ni la main dans la poche du voisin
Il ne pleurait jamais dans mon gilet
C'était un copain
C'était un bon copain.

Corps et biens, 1930.

*Ce poème qui se présente comme un affectueux hom-
mage à « un bon copain » est l'occasion de faire dérailler
quelque peu le langage, de faire sortir certaines expres-
sions de la norme (ainsi « la cervelle dans la lune » se
substitue à « la tête dans les nuages » ; « Il ne pleurait*

jamais dans mon gilet » à « Il ne pleurait jamais dans mon giron »), de montrer l'arbitraire de formules toutes faites. Loin de sombrer dans la sentimentalité, le poème met le langage en fête pour fêter l'amitié.

Le bonbon

Je je suis suis le le roi roi
    des montagnes
j'ai de de beaux beaux bobos beaux beaux yeux yeux
    il fait une chaleur chaleur

j'ai nez
j'ai doigt doigt doigt doigt doigt à à
    chaque main main

j'ai dent dent dent dent dent dent dent
    dent dent dent dent dent dent dent
    dent dent dent dent dent dent dent
    dent dent dent dent dent dent dent
    dent dent dent dent

Tu tu me me fais fais souffrir
mais peu m'importe m'importe
    la la porte porte.

Corps et biens, 1930.

Si le poème de Desnos semble au départ pris de bégaiement, il obéit ensuite à une cocasse logique arithmétique qui comptabilise quelques attributs du corps humain, mais cette logique s'estompe et le bégaiement reprend.

Notre paire...

Notre paire quiète, ô yeux !
que votre « non » soit sang (t'y fier ?)
que votre araignée rie,
que votre vol honteux soit fête (au fait)
sur la terre (commotion).

Donnez-nous, aux joues réduites,
notre pain quotidien.
Part, donnez-nous, de nos œufs foncés
comme nous part donnons
à ceux qui nous ont offensés.
Nounou laissez-nous succomber à la tentation
et d'aile ivrez-nous du mal.

Corps et biens, 1930.

Desnos démontre ici qu'il est possible d'écrire avec des mots différents un texte dont les sonorités épousent celles de la célèbre prière « Notre père qui êtes aux cieux ». La langue n'est donc qu'un code arbitraire où les sons font parfois la nique au sens !

JACQUES PRÉVERT

Cortège

Un vieillard en or avec une montre en deuil
Une reine de peine avec un homme d'Angleterre
Et des travailleurs de la paix avec des gardiens de la mer
Un hussard de la farce avec un dindon de la mort
Un serpent à café avec un moulin à lunettes
Un chasseur de corde avec un danseur de têtes
Un maréchal d'écume avec une pipe en retraite
Un chiard en habit noir avec un gentleman au maillot
Un compositeur de potence avec un gibier de musique
Un ramasseur de conscience avec un directeur de mégots
Un repasseur de Coligny avec un amiral de ciseaux
Une petite sœur du Bengale avec un tigre de Saint-Vincent-de-Paul
Un professeur de porcelaine avec un raccommodeur de philosophie
Un contrôleur de la Table Ronde avec des chevaliers de la Compagnie du Gaz de Paris
Un canard à Sainte-Hélène avec un Napoléon à l'orange
Un conservateur de Samothrace avec une Victoire de cimetière
Un remorqueur de famille nombreuse avec un père de haute mer
Un membre de la prostate avec une hypertrophie de l'Académie française
Un gros cheval in partibus avec un grand évêque de cirque

Un contrôleur à la croix de bois avec un petit chanteur
   d'autobus
Un chirurgien terrible avec un enfant dentiste
Et le général des huîtres avec un ouvreur de Jésuites.

Paroles, 1946.

*Prévert procède à une interversion de tous les complé-
ments (de nom, d'attribution) à chaque vers, ce qui
donne à son cortège une allure absurde ou loufoque,
surtout lorsque les sonorités des compléments sont voi-
sines (cf. « huîtres » et « Jésuites » du dernier vers).*

JEAN TARDIEU

Feintes nécessaires

J'appuie et creuse en pensant aux ombres,
je passe et rêve en pensant au roc :

Fidèle au bord des eaux volages
j'aime oublier sur un sol éternel.

Je suis changeant sous les fixes étoiles
mais sous les jours multiples je suis un.

Ce que je tiens me vient de la flamme,
ce qui me fuit se fait pierre et silence.

Je dors pour endormir le jour. Je veille
la nuit, comme un feu sous la cendre...

Ma différence est ma nécessité !
Qui que tu sois, terre ou ciel, je m'oppose,

car je pourchasse un ennemi rebelle
ruse pour ruse et feinte pour feinte !

Ô châtiment de tant de combats,
Ô seul abîme ouvert à ma prudence :

Vais-je mourir sans avoir tué l'Autre
Qui règne et se tait dans ses profondeurs ?

Le Témoin invisible, 1943.

*Après avoir constaté qu'il était toujours déphasé par
rapport aux éléments naturels (il est « fidèle au bord des
eaux volages » et « changeant sous les fixes étoiles »), le
poète revendique cette différence comme une nécessité
bénéfique qui l'incite à s'opposer à « l'Autre » qui se
cache en lui et à qui il faut répondre « ruse pour ruse et
feinte pour feinte ». Mais il n'est pas sûr que le poète
vienne un jour à bout du témoin invisible qui le guette.*

Voyage avec Monsieur Monsieur

Avec Monsieur Monsieur
je m'en vais en voyage.
Bien qu'ils n'existent pas
je porte leurs bagages.
Je suis seul ils sont deux.

Lorsque le train démarre
je vois sur leur visage
la satisfaction
de rester immobiles
quand tout fuit autour d'eux.

Comme ils sont face à face
chacun a ses raisons.
L'un dit : les choses viennent
et l'autre : elles s'en vont.

Quand le train les dépasse
est-ce que les maisons
subsistent ou s'effacent ?
moi je dis qu'après nous
ne reste rien du tout.

— Voyez comme vous êtes !
lui répond le premier,
pour vous rien ne s'arrête
moi je vois l'horizon
de champs et de villages
longuement persister.
Nous sommes le passage
nous sommes la fumée...

C'est ainsi qu'ils devisent
et la discussion
devient si difficile
qu'ils perdent la raison.

Alors le train s'arrête
avec le paysage
alors tout se confond.

Monsieur Monsieur, 1951.

« *Monsieur Monsieur* » *forme un duo d'autant plus indissociable qu'aucun* « *et* » *de coordination ne sépare les deux personnages. Ceux-ci ont beau vouloir affirmer leur différence et leur autonomie, leur discussion sur ce qui advient après la mort tourne court, et ils s'effacent dans un paysage qui les engloutit. Le train symbolise le voyage de la vie vers la mort, et ceux qui s'y engagent sont voués d'emblée à ne plus exister.*

Jean Tardieu affirme avoir introduit dans ce poème « *presque plus de pantomimes et de grimaces que de mots* » (« *Argument* » *de* Monsieur Monsieur).

Complainte du verbe être

Je serai je ne serai plus je serai ce caillou
toi tu seras moi je serai je ne serai plus
quand tu ne seras plus tu seras
ce caillou.

Quant tu seras ce caillou c'est déjà
comme si tu étais n'étais plus,
j'aurai perdu tu as perdu j'ai perdu
d'avance. Je suis déjà déjà
cette pierre trouée qui n'entend pas
qui ne voit pas ne bouge plus.

Bientôt hier demain tout de suite
déjà je suis j'étais je serai
cet objet trouvé inerte oublié
sous les décombres ou dans le feu ou l'herbe froide
ou dans la flaque d'eau, pierre poreuse
qui simule un murmure ou siffle et qui se tait.

Par l'eau par l'ombre et par le soleil submergé
objet sans yeux sans lèvres noir sur blanc
(l'œil mi-clos pour faire rire
ou une seule dent pour faire peur)
j'étais je serai je suis déjà
la pierre solitaire oubliée là
le mot le seul sans fin toujours le même ressassé.

Comme ceci comme cela, 1979.

L'homme a beau jouer de tous les temps du verbe
« être », virevolter du passé au futur ou s'installer dans le
présent, il est voué à un perpétuel ressassement qui ne
l'empêchera nullement d'être réduit bientôt à l'état de
« caillou » ou de « pierre solitaire ».

HENRI MICHAUX

Le grand combat

A R.-M. Hermant.

Il l'emparouille et l'endosque contre terre ;
Il le rague et le roupète jusqu'à son drâle ;
Il le pratèle et le libucque et lui barufle les ouillais ;
Il le tocarde et le marmine,
Le manage rape à ri et ripe à ra.
Enfin il l'écorcobalisse.

L'autre hésite, s'espudrine, se défaisse, se torse et se
    ruine.
C'en sera bientôt fini de lui ;
Il se reprise et s'emmargine... mais en vain
Le cerceau tombe qui a tant roulé.
Abrah ! Abrah ! Abrah !
Le pied a failli !
Le bras a cassé !
Le sang a coulé !
Fouille, fouille, fouille,
Dans la marmite de son ventre est un grand secret
Mégères alentour qui pleurez dans vos mouchoirs ;
On s'étonne, on s'étonne, on s'étonne
Et on vous regarde
On cherche aussi, nous autres, le Grand Secret.

Qui je fus, 1927.

Michaux multiplie les verbes dont les sonorités sont parlantes d'agressivité ou d'instinct défensif. De quel ventre sortira le « Grand Secret » ? Secret de la naissance ou secret de la mort ? Le mot « cerceau » peut dériver à la fois vers le « berceau » et le « cercueil », point de départ et lieu d'arrivée de ce « grand combat » qu'est la vie.

Mes occupations

Je peux rarement voir quelqu'un sans le battre. D'autres préfèrent le monologue intérieur. Moi, non. J'aime mieux battre.

Il y a des gens qui s'assoient en face de moi au restaurant et ne disent rien, ils restent un certain temps, car ils ont décidé de manger.

En voici un.

Je te l'agrippe, toc.

Je te le ragrippe, toc.

Je le pends au portemanteau.

Je le décroche.

Je le repends.

Je le redécroche.

Je le mets sur la table, je le tasse et l'étouffe.

Je le salis, je l'inonde.

Il revit.

Je le rince, je l'étire (je commence à m'énerver, il faut en finir), je le masse, je le serre, je le résume et l'introduis dans mon verre, et jette ostensiblement le contenu par terre, et dis au garçon : « Mettez-moi donc un verre plus propre. »

Mais je me sens mal, je règle promptement l'addition et je m'en vais.

Mes propriétés, 1929.

L'étonnante flambée agressive, mue par l'instinct de meurtre, bute sur le sentiment de culpabilité et rythme ainsi les « occupations » d'une vie. Toute l'agressivité se coagule dans les sonorités (étire, serre, verre, terre), de l'avant-dernière strophe.

FRANCIS PONGE

Le cageot

A mi-chemin de la cage au cachot la langue française a cageot, simple caissette à claire-voie vouée au transport de ces fruits qui de la moindre suffocation font à coup sûr une maladie.

Agencé de façon qu'au terme de son usage il puisse être brisé sans effort, il ne sert pas deux fois. Ainsi dure-t-il moins encore que les denrées fondantes ou nuageuses qu'il enferme.

A tous les coins de rues qui aboutissent aux halles, il luit alors de l'éclat sans vanité du bois blanc. Tout neuf encore, et légèrement ahuri d'être dans une pose maladroite à la voirie jeté sans retour, cet objet est en somme des plus sympathiques, — sur le sort duquel il convient toutefois de ne s'appesantir longuement.

Le Parti pris des choses, 1942.

Amoureux des dictionnaires, Ponge veut leur voler le privilège des définitions. « Cageot » se trouve entre « cachot » et « cage » (lieux d'enfermement et de suffocation) dans le dictionnaire, mais, à la différence de ces deux mots voisins (par la position et les sonorités), le « cageot » est fragile et « ne sert pas deux fois ».

Pour être fidèle à sa vocation, il ne faut pas s'appesantir sur lui. Prendre le parti des choses, c'est donc prendre à partie les mots.

III

Le poids de l'histoire

La poésie échappe-t-elle à l'histoire ? A en croire certains puristes, la poésie n'a rien à voir avec les événements historiques et politiques, et elle ne prend son essor que dans des sphères hautement idéalisées sourdes aux basses péripéties d'une époque. En réalité, la grande poésie a toujours été à l'écoute de son temps et de ses remous historiques. Au XIXᵉ siècle, Victor Hugo n'hésita pas à mener un combat politique où son œuvre poétique puisa des forces. Au XXᵉ siècle, les guerres n'épargnèrent pas les poètes, de Charles Péguy et Apollinaire à Max Jacob et Robert Desnos. Et la seconde guerre mondiale fut le moment d'une grande effervescence poétique. Pour lutter contre l'envahisseur nazi, le langage codé ou métaphorique de la poésie servit souvent de paravent à la transmission de messages fervents en faveur de la Résistance (la censure allemande n'était pas toujours à même de comprendre certaines subtilités de langue). La poésie fut donc, de 1940 à 1945, une arme privilégiée au service de l'intégrité nationale. Les recueils s'éclipsèrent quelque peu au bénéfice des revues dont l'impact fut considérable, qu'il s'agisse de la revue *Poésie* de Pierre Seghers, de *Fontaine* créée à Alger par Max-Pol Fouchet, de *Confluences* lancée à Lyon par René Tavernier.

Inspirés par l'histoire immédiate, certains poèmes se sont voulus des dénonciations immédiates, des cris de révolte aspirant à devenir des rafales de mitraillette. D'autres poèmes ont voulu être des bornes incontournables de la mémoire collective. Toujours est-il que la question de l'« engagement » n'aura cessé de susciter un ardent débat. A Paul Eluard qui publia en 1943 une anthologie de poètes résistants sous le titre *L'Honneur des poètes*, Benjamin Péret répliquera par un pamphlet intitulé *Le Déshonneur des poètes*. Le poète se déshonore-t-il en s'engageant ? Ce serait folie de l'affirmer. En réalité, le seul déshonneur dont puisse souffrir la poésie, c'est d'être sacrifiée à la fièvre de l'action. Les grands poètes de la Résistance française sont ceux qui, engagés dans l'action, ont su garder la juste distance pour en témoigner et en extraire un message de beauté, d'espoir et de liberté. Paul Eluard, Louis Aragon et René Char sont incontestablement les figures de proue de cette poésie de la Résistance, dans la mesure où leur œuvre ne se circonscrit pas à ce seul événement mais y prend appui pour un dépassement toujours plus ample. La poésie n'est-elle d'ailleurs pas la résistance même à toutes les habitudes et à toutes les oppressions ? René Char[1] l'affirme dans l'un des hautains aphorismes qui ponctuent son recueil *Fureur et Mystère* (1948) : «A chaque effondrement des preuves le poète répond par une salve d'avenir. »

1. L'absence dans cette anthologie de René Char tient à un refus du poète qui n'engage que lui.

PAUL ELUARD

Comprenne qui voudra

*En ce temps-là, pour ne pas
châtier les coupables, on maltraitait
des filles. On allait même jusqu'à
les tondre.*

Comprenne qui voudra
Moi mon remords ce fut
La malheureuse qui resta
Sur le pavé
La victime raisonnable
A la robe déchirée
Au regard d'enfant perdue
Découronnée défigurée
Celle qui ressemble aux morts
Qui sont morts pour être aimés

Une fille faite pour un bouquet
Et couverte
Du noir crachat des ténèbres

Une fille galante
Comme une aurore de premier mai
La plus aimable bête

Souillée et qui n'a pas compris
Qu'elle est souillée
Une bête prise au piège
Des amateurs de beauté

Et ma mère la femme
Voudrait bien dorloter
Cette image idéale
De son malheur sur terre.

Au rendez-vous allemand, 1944.

*Eluard, assistant à une scène fréquente, lors de l'épu-
ration où l'on tondait les filles soupçonnées d'avoir été
les maîtresses d'Allemands, a noté sur un carnet :
« Réaction de colère. Je revois une magnifique chevelure
féminine gisant sur le pavé. Je revois des idiotes lamen-
tables tremblant de peur sous les rires de la foule. Elles
n'avaient pas vendu la France et elles n'avaient souvent
rien vendu du tout. »*

Liberté

Sur mes cahiers d'écolier
Sur mon pupitre et les arbres
Sur le sable sur la neige
J'écris ton nom

Sur toutes les pages lues
Sur toutes les pages blanches
Pierre sang papier ou cendre
J'écris ton nom

Sur les images dorées
Sur les armes des guerriers
Sur la couronne des rois
J'écris ton nom

Sur la jungle et le désert
Sur les nids sur les genêts

Sur l'écho de mon enfance
J'écris ton nom

Sur les merveilles des nuits
Sur le pain blanc des journées
Sur les saisons fiancées
J'écris ton nom

Sur tous mes chiffons d'azur
Sur l'étang soleil moisi
Sur le lac lune vivante
J'écris ton nom

Sur les champs sur l'horizon
Sur les ailes des oiseaux
Et sur le moulin des ombres
J'écris ton nom

Sur chaque bouffée d'aurore
Sur la mer sur les bateaux
Sur la montagne démente
J'écris ton nom

Sur la mousse des nuages
Sur les sueurs de l'orage
Sur la pluie épaisse et fade
J'écris ton nom...

Sur la vitre des surprises
Sur les lèvres attentives
Bien au-dessus du silence
J'écris ton nom

Sur mes refuges détruits
Sur mes phares écroulés
Sur les murs de mon ennui
J'écris ton nom

Sur l'absence sans désirs
Sur la solitude nue
Sur les marches de la mort
J'écris ton nom

Sur la santé revenue
Sur le risque disparu
Sur l'espoir sans souvenir
J'écris ton nom

Et par le pouvoir d'un mot
Je recommence ma vie
Je suis né pour te connaître
Pour te nommer

Liberté.

Poésie et vérité, 1942.

La « liberté » dont le poète écrit partout le nom (aussi bien « sur les merveilles des nuits » que « sur les marches de la mort ») n'est pas une fin en soi, mais un désir toujours renaissant et une réponse martelée à l'oppresseur nazi.

En plein mois d'août

En plein mois d'août un lundi soir de couleur tendre
Un lundi soir pendu aux nues
Dans Paris clair comme un œuf frais
En plein mois d'août notre pays aux barricades
Paris osant montrer ses yeux

Paul Eluard. Portrait par Valentine Hugo.

Paris osant crier victoire
En plein mois d'août un lundi soir

Puisqu'on a compris la lumière
Pourra-t-il faire nuit ce soir
Puisque l'espoir sort des pavés
Sort des fronts et des poings levés
Nous allons imposer l'espoir
Nous allons imposer la vie
Aux esclaves qui désespèrent

En plein mois d'août nous oublions l'hiver
Comme on oublie la politesse des vainqueurs
Leurs grands saluts à la misère et à la mort
Nous oublions l'hiver comme on oublie la honte
En plein mois d'août nous ménageons nos munitions
Avec raison et la raison c'est notre haine
Ô rupture de rien rupture indispensable

La douceur d'être en vie la douleur de savoir
Que nos frères sont morts pour que nous vivions libres
Car vivre et faire vivre est au fond de nous tous
Voici la nuit voici le miroir de nos rêves
Voici minuit minuit point d'honneur de la nuit
La douceur et le deuil de savoir qu'aujourd'hui
Nous avons tous ensemble compromis la nuit.

Au rendez-vous allemand, 1944.

En août 1945, la guerre s'achève et Paris ose enfin
« crier victoire ». L'espoir s'impose, mais la douceur sou-
daine d'être en vie ne peut faire oublier la douleur du
sang versé.
    Éluard joue beaucoup des antithèses (jour/nuit, été/
hiver, vie/mort) et des répétitions envoûtantes (En plein
mois d'août », « Nous allons », « Voici »).

LOUIS ARAGON

Elsa au miroir

C'était au beau milieu de notre tragédie
Et pendant un long jour assise à son miroir
Elle peignait ses cheveux d'or Je croyais voir
Ses patientes mains calmer un incendie
C'était au beau milieu de notre tragédie

Et pendant un long jour assise à son miroir
Elle peignait ses cheveux d'or et j'aurais dit
C'était au beau milieu de notre tragédie
Qu'elle jouait un air de harpe sans y croire
Pendant tout ce long jour assise à son miroir

Elle peignait ses cheveux d'or et j'aurais dit
Qu'elle martyrisait à plaisir sa mémoire
Pendant tout ce long jour assise à son miroir
A ranimer les fleurs sans fin de l'incendie
Sans dire ce qu'une autre à sa place aurait dit

Elle martyrisait à plaisir sa mémoire
C'était au beau milieu de notre tragédie
Le monde ressemblait à ce miroir maudit
Le peigne partageait les feux de cette moire
Et ces feux éclairaient des coins de ma mémoire

C'était un beau milieu de notre tragédie
Comme dans la semaine est assis le jeudi

Et pendant un long jour assise à sa mémoire
Elle voyait au loin mourir dans son miroir

Un à un les acteurs de notre tragédie
Et qui sont les meilleurs de ce monde maudit

Et vous savez leurs noms sans que je les aie dits
Et ce que signifient les flammes des longs soirs

Et ses cheveux dorés quand elle vient s'asseoir
Et peigner sans rien dire un reflet d'incendie

La Diane française, 1945.

Tandis que la guerre fait rage (« C'était au beau milieu de notre tragédie »), Elsa (Elsa Triolet, la femme et la muse d'Aragon) veut par ses mains calmer l'incendie mais ne peut s'empêcher de voir dans son miroir la mort envahissante. Cette impression d'envahissement inextricable est accentuée par les répétitions de vers et de mots (incendie, tragédie, miroir, mémoire).

Strophes pour se souvenir

1955.

Vous n'avez réclamé la gloire ni les larmes
Ni l'orgue ni la prière aux agonisants
Onze ans déjà que cela passe vite onze ans
Vous vous étiez servi simplement de vos armes
La mort n'éblouit pas les yeux des Partisans

Vous aviez vos portraits sur les murs de nos villes
Noirs de barbe et de nuit hirsutes menaçants
L'affiche qui semblait une tache de sang
Parce qu'à prononcer vos noms sont difficiles
Y cherchait un effet de peur sur les passants

Nul ne semblait vous voir Français de préférence
Les gens allaient sans yeux pour vous le jour durant
Mais à l'heure du couvre-feu des doigts errants
Avaient écrit sous vos photos MORTS POUR LA FRANCE
Et les mornes matins en étaient différents

Tout avait la couleur uniforme du givre
A la fin février pour vos derniers moments
Et c'est alors que l'un de vous dit calmement
Bonheur à tous Bonheur à ceux qui vont survivre
Je meurs sans haine en moi pour le peuple allemand

Adieu la peine et le plaisir Adieu les roses
Adieu la vie adieu la lumière et le vent
Marie-toi sois heureuse et pense à moi souvent
Toi qui vas demeurer dans la beauté des choses
Quand tout sera fini plus tard en Érivan[1]

Un grand soleil d'hiver éclaire la colline
Que la nature est belle et que le cœur me fend
La justice viendra sur nos pas triomphants
Ma Mélinée[2] *ô mon amour mon orpheline*
Et je te dis de vivre et d'avoir un enfant

Ils étaient vingt et trois quand les fusils fleurirent
Vingt et trois qui donnaient leur cœur avant le temps
Vingt et trois étrangers et nos frères pourtant
Vingt et trois amoureux de vivre à en mourir
Vingt et trois qui criaient la France en s'abattant

Le Roman inachevé, 1956.

---

1. Capitale de l'Arménie. — 2. Mélinée Manouchian, veuve du résistant fusillé.

Ce poème ressuscite le sinistre souvenir de l'Affiche rouge. En 1944, les Allemands avaient fait placarder sur tous les murs une affiche présentant la photo de vingt-trois résistants d'origine étrangère, dont le chef présumé était l'Arménien Manouchian. Les Allemands espéraient ainsi dresser les « bons » Français contre les « méchants terroristes » étrangers. Les vingt-trois partisans furent fusillés, et Aragon, onze ans après, ne peut pas oublier, ne veut pas qu'on oublie.

Aragon inscrit en italique le message de Manouchian à l'heure de son exécution.

La poésie :
une perpétuelle définition

Qu'est-ce que la poésie ? Tous les poètes du XXᵉ siècle ne cessent de se poser implicitement ou explicitement la question. Si, au XIXᵉ siècle, la poésie se distinguait par certaines dispositions formelles et par l'emploi du vers rimé, le triomphe de la prose ne permet plus au XXᵉ siècle une classification aussi facile et immédiate. Le poème ne dépend plus d'indices tout extérieurs mais de marques intérieures plus secrètes. Chaque poète revendique son rythme propre et entend créer un univers personnel à nul autre pareil. Bien plus, tout grand poète veut rompre et se démarquer de ceux qui l'ont précédé. La création ne s'inscrit plus, comme au siècle précédent, dans une sorte de continuité et de fidélité aux grands maîtres, mais dans une discontinuité où toute rupture se veut inaugurale. Aussi le besoin de définir la poésie — c'est-à-dire sa propre poésie — est devenu pour le poète comme une seconde nature.

En dépit de l'originalité propre à chaque poète, quelques systèmes poétiques dominants se dégagent aujourd'hui. Pour certains poètes comme Saint-John Perse, la poésie est le lieu même de l'éloge et de la célébration ; la confiance dans le langage, ici, est entière. Pour un Pierre Jean Jouve, la poésie est plus sacrificielle ; elle s'édifie sur les ruines de la vie et s'apparente à la malédiction baudelairienne. Rompant avec des conceptions quelque peu héritées du XIXᵉ siècle, Jules Supervielle oublie le créateur au profit de celui qui seul donnera vie à son œuvre, le lecteur, cet ami hypothétique, cet ami inconnu. Pour André Frénaud comme pour Guillevic, la poésie ne se saisit que dans sa propre gestation.

C'est là la façon la plus honnête de capter l'homme en proie à son « inhabileté fatale » (Rimbaud), sans faux-fuyant et sans faux-semblant. Quant à Raymond Queneau, son ludisme lui permet de prendre davantage de distance encore avec les prétendus pouvoirs que la poésie croit détenir du romantisme.

L'échiquier poétique est donc vaste, et la définition de la poésie restera toujours différée.

SAINT-JOHN PERSE

Pour fêter une enfance II

Et les servantes de ma mère, grandes filles luisantes...
Et nos paupières fabuleuses... Ô
clartés ! ô faveurs !
Appelant toute chose, je récitai qu'elle était grande,
appelant toute bête, qu'elle était belle et bonne.
Ô mes plus grandes
fleurs voraces, parmi la feuille rouge, à dévorer tous
mes plus beaux
insectes verts ! Les bouquets au jardin sentaient le
cimetière de famille. Et une très petite sœur était morte :
j'avais eu, qui sent bon, son cercueil d'acajou entre les gla-
ces de trois chambres. Et il ne fallait pas tuer l'oiseau-mou-
che d'un caillou... Mais la terre se courbait dans nos jeux
comme fait la servante,
celle qui a droit à une chaise si l'on se tient dans la
maison.
... Végétales ferveurs, ô clartés ô faveurs !...
Et puis ces mouches, cette sorte de mouches, vers le
dernier étage du jardin, qui étaient comme si la lumière eût
chanté !
... Je me souviens du sel, je me souviens du sel que la
nourrice jaune dut essuyer à l'angle de mes yeux.
Le sorcier noir sentenciait à l'office : « Le monde est
comme une pirogue, qui, tournant et tournant, ne sait plus
si le vent voulait rire ou pleurer... »
Et aussitôt mes yeux tâchaient à peindre
un monde balancé entre les eaux brillantes, connaissaient le

mât lisse des fûts, la hune sous les feuilles, et les guis et les
vergues, les haubans de liane,
    où trop longues, les fleurs
s'achevaient en des cris de perruches.

Éloges, 1911.

    *Dans ce poème écrit à vingt ans, Saint-John Perse
exprime la nostalgie de son enfance passée à la Guade-
loupe, dans la plantation familiale. Le poète recourt au
langage de l'éloge.*
    *Tout en décrivant l'exubérante nature locale et tout en
racontant son enfance (une sœur morte, les domestiques,
la présence du sorcier) le poète se transforme en récitant
d'un psaume dont les versets amples et souples solenni-
sent le souvenir et l'éternisent.*
    *La parole poétique est ici totalement maîtrisée et la
glorification de la nature est pour le langage une sorte
d'autoglorification.*

PIERRE JEAN JOUVE

Magie

Tu es ma douleur mon effroi mon amour
Ô imagination
Tu es mon bourreau ô livre où j'ai traduit
La montagne la rivière et l'oiseau
Tu es ma misère ô confession.
Ainsi parlait le poète déchu
Et il déchirait son livre imprimé au milieu des villes
    humaines.
Mais son autre voix tout emplie d'un murmure de
    saules
Répondait
Ô livre malgracieux ô poème manqué,
Erreur erreur toujours de celui qui n'a pas encor fait,

Oh tu es mon dernier lieu ma forteresse
Contre l'armée des infidèles
Ailleurs n'est plus que ruine et toi tu es l'endroit
    sacré,
Le démon aurait-il vraiment manqué tout ce qu'il
    voulait ?

Et que veut le démon —
                            Un livre
Répondait sa voix éclairée par un ancien cyprès
    solaire,
Le tien le mien ou l'autre,
Écris sous la dictée.
Et tous les oiseaux chantèrent plusieurs fois sur le
    ciel.

Et le poète était encore une fois illuminé
Il ramassait les morceaux du livre, il redevenait
   aveugle et invisible,
Il perdait sa famille, il écrivait le mot du premier
   mot du livre.

Les Noces, 1931.

Jouve conçoit la création comme difficile et hostile
(« douleur », « misère », « Tu es mon bourreau ô livre »)
et craint le « poème manqué ». Pourtant un instinct à la
fois démoniaque et sacré le pousse à écrire, seule issue
pour atteindre une magie fondée, quoi qu'il en soit, sur
le sacrifice et la rupture inaugurale.

JULES SUPERVIELLE

Un poète

Je ne vais pas toujours seul au fond de moi-même
Et j'entraîne avec moi plus d'un être vivant.
Ceux qui seront entrés dans mes froides cavernes
Sont-ils sûrs d'en sortir même pour un moment ?
J'entasse dans ma nuit, comme un vaisseau qui sombre,
Pêle-mêle, les passagers et les marins,
Et j'éteins la lumière aux yeux, dans les cabines,
Je me fais des amis des grandes profondeurs.

Les Amis inconnus, 1934.

Un pacte secret lie le poète à ses futurs lecteurs. Mais qui suivra le poète dans les « froides cavernes » de son inspiration et de son écriture ? Qui acceptera de sombrer avec lui dans les « grandes profondeurs » où se risque son « vaisseau » ? Outre les marins et les passagers engagés comme malgré eux dans l'aventure, le poète souhaite trouver des « amis » — ces « amis inconnus » que toute son œuvre célèbre et appelle.

ANDRÉ FRÉNAUD

Les paroles du poème

Si mince l'anfractuosité d'où sortait la voix,
si exténuant l'édifice entrevu,
si brûlants sont les monstres, terrible l'harmonie,
si lointain le parcours, si aiguë la blessure
et si gardée la nuit.

Il faudrait qu'elles fussent justes et ambiguës,
jamais rencontrées, évidentes, reconnues,
sorties du ventre, retenues, sorties,
serrées comme des grains dans la bouche d'un rat,
serrées, ordonnées comme les grains dans l'épi,
secrètes comme est l'ordre
que font luire ensemble les arbres du paradis,
les paroles du poème.

Janvier 1962.

Depuis toujours déjà, 1970.

*Les paroles du poème naissent d'un accouchement
difficile où la voix (le cri du nouveau-né) est première et
s'assortit bientôt de richesses contradictoires qui s'ordon-
nent d'elles-mêmes.*
*La création est ici moins de l'ordre de la volonté que
de l'instinct unificateur.*

EUGÈNE GUILLEVIC

Art poétique

I

Les mots, les mots
Ne se laissent pas faire
Comme des catafalques.

Et toute langue
Est étrangère.

II

à Jean Follain.

Certes ce n'était pas à titre de supplique
La voix qui psalmodiait
Les secrets de la honte.

Il fallait que la voix,
Tâtonnant sur les mots,

S'apprivoise par grâce
Au ton qui la prendra.

III

Le cri du chat-huant,
Que l'horreur exigeait,

Est un cri difficile
A former dans la gorge.

Mais il tombe ce cri,
Couleur de sang qui coule,

Et résonne à merci
Dans les bois qu'il angoisse.

IV

Les mots qu'on arrachait,
Les mots qu'il fallait dire,

Tombaient comme des jours.

V

Si les orages ouvrent des bouches
Et si la nuit perce en plein jour,

Si la rivière est un roi nègre
Assassiné, pris dans les mouches,

Si le vignoble a des tendresses
Et des caresses pour déjà morts,

— Il s'est agi depuis toujours
De prendre pied,

De s'en tirer
Mieux que la main du menuisier
Avec le bois.

Terraqué, 1942.

Pour Guillevic, les mots ne sont pas matière morte. Ils sont la voix et même le cri. Si le bourreau (l'occupant nazi, en l'occurrence) veut les extirper, c'est qu'ils ont un secret. Même divulgué, celui-ci se recompose.

Le poète est en tout cas avec les mots comme le menuisier avec le bois.

RAYMOND QUENEAU

Pour un art poétique

1

Un poème c'est bien peu de chose
à peine plus qu'un cyclone aux Antilles
qu'un typhon dans la mer de Chine
un tremblement de terre à Formose

Une inondation du Yang Tse Kiang
ça vous noie cent mille Chinois d'un seul coup
vlan
ça ne fait même pas le sujet d'un poème
Bien peu de chose

On s'amuse bien dans notre petit village
on va bâtir une nouvelle école
on va élire un nouveau maire et changer les jours de
                                                    [marché
on était au centre du monde on se trouve maintenant
     près du fleuve océan qui ronge l'horizon

Un poème c'est bien peu de chose
[...]

5

Bon dieu de bon dieu que j'ai envie d'écrire un petit
Tiens en voilà justement un qui passe   [poème

Petit petit petit
viens ici que je t'enfile
sur le fil du collier de mes autres poèmes
viens ici que je t'entube
dans le comprimé de mes œuvres complètes
viens ici que je t'enpapouète
et que je t'enrime
et que je t'enrythme
et que je t'enlyre
et que je t'enpégase
et que je t'enverse
et que je t'enprose

la vache
il a foutu le camp
[...]

9

Ce soir
si j'écrivais un poème
pour la postérité ?

fichtre
la belle idée

je me sens sûr de moi
j'y vas
et

à
la
postérité
j'y dis merde et remerde
et reremerde

drôlement feintée
la postérité
qui attendait son poème

ah mais

L'Instant fatal, 1948.

Avec esprit et brio, Queneau démystifie trois idées qui sont censées caractériser la poésie ; d'abord son nombrilisme (le poème est tenté de se cantonner dans un petit territoire subjectif transformé en illusoire centre du monde, alors qu'ailleurs se produisent des événements essentiels) ; ensuite l'idée sacro-sainte selon laquelle un poème ne peut être que le fruit de l'inspiration (mais harponner le poème qui providentiellement se présente n'est pas toujours si facile) ; enfin la croyance un peu béate en une postérité qui infailliblement gratifierait le poète. Pour dénoncer ces trois erreurs, Queneau use du vocabulaire le plus familier, comme pour faire la nique au vocabulaire policé qui généralement leur sert de support.

Voix de la francophonie

Le français est une langue parlée dans de nombreux pays, comme la Belgique, la Suisse, le Québec, le Maghreb, l'Afrique noire, les Antilles, le Liban. Chacun de ces pays a donné à la langue française des poètes importants, tels Georges Schéhadé, Andrée Chédid, Salah Stétié (pour le Liban), Anne Hébert, Gaston Miron (pour le Québec), et la liste pourrait être longue. Mais c'est peut-être du côté de l'Afrique noire et des Antilles que les voix les plus originales se sont élevées, avec surtout Léopold Sédar Senghor, le Sénégalais, et Aimé Césaire, le Martiniquais. Étudiants à Paris vers 1930, les deux futurs poètes ont alors conçu le terme et la notion de « négritude » qui couvre « l'ensemble des valeurs culturelles du monde noir, telles qu'elles s'expriment dans la vie, les institutions et les œuvres des Noirs ». Tout en défendant leurs origines, Senghor et Césaire demeurent fidèles à la culture française qui les a profondément marqués. Senghor se félicite d'un tel « métissage » où le christianisme s'allie à l'humanisme pour déboucher sur une « civilisation de l'universel ». Césaire adopte, lui, un langage que certains ont dit proche de celui des surréalistes, pour clamer les souffrances de son « retour au pays natal ».

Le remarquable chez ces poètes, en dépit de la tonalité différente de leurs œuvres, c'est qu'ils réhabilitent le chant et le rythme qui font souvent défaut à la poésie française (la poésie africaine a toujours un accompagnement musical), qu'ils préfèrent le mot concret au mot abstrait, qu'ils rendent à la syntaxe une transparence un peu oubliée depuis Mallarmé et qu'ils superposent les richesses de leur civilisation essentiellement orale aux prestiges d'une civilisation de l'écriture.

LÉOPOLD SÉDAR SENGHOR

In memoriam

C'est Dimanche.
J'ai peur de la foule de mes semblables au visage de pierre.
De ma tour de verre qu'habitent les migraines, les Ancêtres impatients
Je contemple toits et collines dans la brume
Dans la paix — les cheminées sont graves et nues.
A leurs pieds dorment mes morts, tous mes rêves faits poussière
Tous mes rêves, le sang gratuit répandu le long des rues, mêlé au sang des boucheries.
Et maintenant, de cet observatoire comme de banlieue
Je contemple mes rêves distraits le long des rues, couchés au pied des collines
Comme les conducteurs de ma race sur les rives de la Gambie et du Saloum
De la Seine maintenant, au pied des collines.
Laissez-moi penser à mes morts !
C'était hier la Toussaint, l'anniversaire solennel du Soleil
Et nul souvenir dans aucun cimetière.
Ô Morts, qui avez toujours refusé de mourir, qui avez su résister à la Mort
Jusqu'en Sine[1] jusqu'en Seine, et dans mes veines fragiles, mon sang irréductible
Protégez mes rêves comme vous avez fait vos fils, les migrateurs aux jambes minces.

1. Ancien royaume du Sénégal.

Ô Morts ! défendez les toits de Paris dans la brume domi-
   nicale
Les toits qui protègent mes morts.
Que de ma tour dangereusement sûre, je descende dans la
   rue
Avec mes frères aux yeux bleus
Aux mains dures.

Chants d'ombre, 1945.

> *Senghor regarde, de sa « tour de verre » (qui n'est pas
> une tour d'ivoire) comment la France fête ses morts le
> lendemain de la Toussaint, alors qu'en Afrique les ancê-
> tres morts sont chaque jour célébrés. La Seine et le Sine
> ont beau avoir des sonorités proches, l'opposition entre
> les deux civilisations est radicale. Pourtant, le poète noir
> se dit prêt à descendre dans la rue pour y rejoindre ses
> « frères » blancs.*

Joal

Joal[1] !
Je me rappelle.

Je me rappelle les signares[2] à l'ombre verte des vérandas
Les signares aux yeux surréels comme un clair de lune
   sur la grève.

Je me rappelle les fastes du Couchant
Où Koumba N'Dofène[3] voulait faire tailler son manteau
   royal.

1. Ville natale du poète. — 2. Grandes dames (terme sérère). — 3. Chef
traditionnel.

Je me rappelle les festins funèbres fumant du sang des
    troupeaux égorgés
Du bruit des querelles, des rhapsodies des griots[1].

Je me rappelle les voix païennes rythmant le *Tantum
    Ergo*[2]
Et les processions et les palmes et les arcs de triomphe.
Je me rappelle la danse des filles nubiles
Les chœurs de lutte — oh! la danse finale des jeunes
    hommes, buste
Penché élancé, et le pur cri d'amour des femmes — *Kor
    Siga*[3]!

Je me rappelle, je me rappelle...
Ma tête rythmant
Quelle marche lasse le long des jours d'Europe où parfois
Apparaît un jazz orphelin qui sanglote sanglote sanglote.

Chants d'ombre, 1945.

1. Poètes traditionnels africains. — 2. Cantique chrétien. — 3. Cri d'en-
couragement aux lutteurs africains.

> *Senghor se souvient du Sénégal où il est né et où il a
> reçu une éducation chrétienne qu'il ne veut pas distin-
> guer de la religiosité africaine. Et son souvenir surgit de
> l'écoute d'un « jazz orphelin » dans l'Europe où il se sent
> exilé.*
> *Ce poème repose sur le rythme lancinant de la répé-
> tition.*

Femme noire

Femme nue, femme noire
Vêtue de ta couleur qui est vie, de ta forme qui est
beauté !
J'ai grandi à ton ombre ; la douceur de tes mains bandait
mes yeux.
Et voilà qu'au cœur de l'Été et de Midi, je te découvre,
Terre promise, du haut d'un haut col calciné
Et ta beauté me foudroie en plein cœur, comme l'éclair
d'un aigle.

Femme nue, femme obscure
Fruit mûr à la chair ferme, sombres extases du vin noir,
bouche qui fais lyrique ma bouche
Savane aux horizons purs, savane qui frémis aux caresses
ferventes du Vent d'Est

Tamtam sculpté, tamtam tendu qui grondes sous les
doigts du vainqueur
Ta voix grave de contralto est le chant spirituel de
l'Aimée.

Femme nue, femme obscure
Huile que ne ride nul souffle, huile calme aux flancs de
l'athlète, aux flancs des princes du Mali
Gazelle aux attaches célestes, les perles sont étoiles sur
la nuit de ta peau
Délices des jeux de l'esprit, les reflets de l'or rouge sur ta
peau qui se moire
A l'ombre de ta chevelure, s'éclaire mon angoisse aux
soleils prochains de tes yeux.

Femme nue, femme noire
Je chante ta beauté qui passe, forme que je fixe dans
l'Éternel

Avant que le Destin jaloux ne te réduise en cendres pour
nourrir les racines de la vie.

Chants d'ombre, 1945.

*Dans un verset ample, Senghor célèbre la femme noire
qui fut d'abord sa mère et qui devient ensuite l'objet
sensuel, cosmique et érotique de son désir, en même
temps que sa lyrique inspiratrice. Fruit, savane ou tamtam, la femme se transforme en un rayonnant être de
chair dont la mort ne fera que nourrir de nouveau les
racines de la vie, tant, pour les Africains, la vie et la
mort forment une harmonieuse complémentarité.*

AIMÉ CÉSAIRE

Prophétie

là où l'aventure garde les yeux clairs
là où les femmes rayonnent de langage
là où la mort est belle dans la main comme un oiseau saison
   de lait
là où le souterrain cueille de sa propre génuflexion un luxe
   de prunelles plus violent que des chenilles
là où la merveille agile fait flèche et feu de tout bois

là où la nuit vigoureuse saigne une vitesse de purs végé-
   taux

là où les abeilles des étoiles piquent le ciel d'une ruche plus
   ardente que la nuit
là où le bruit de mes talons remplit l'espace et lève à
   rebours la face du temps
là où l'arc-en-ciel de ma parole est chargé d'unir demain à
   l'espoir et l'infant à la reine,

d'avoir injurié mes maîtres mordu les soldats du sultan
d'avoir gémi dans le désert
d'avoir crié vers mes gardiens
d'avoir supplié les chacals et les hyènes pasteurs de cara-
   vanes

je regarde
la fumée se précipite en cheval sauvage sur le devant de
   la scène ourle un instant la lave de sa fragile queue de
   paon puis se déchirant la chemise s'ouvre d'un coup la

poitrine et je la regarde en îles britanniques en îlots en
rochers déchiquetés se fondre peu à peu dans la mer
lucide de l'air
où baignent prophétiques
ma gueule
      ma révolte
           mon nom.

Les Armes miraculeuses, 1946.

*Césaire indique d'emblée le lieu (« là où... », « là
où... ») où l'ont conduit sa révolte et sa souffrance dont
l'ardeur se mue enfin en élan prophétique. La révolte
n'est pas une simple étape, elle doit toujours être réac-
tivée. Longtemps écrasé et exploité, l'Antillais le sait
mieux que nul autre.*

BIRAGO DIOP

Viatique

Dans un des trois canaris[1]
des trois canaris où reviennent certains soirs
les âmes satisfaites et sereines,
les souffles des ancêtres,
des ancêtres qui furent des hommes
des aïeux qui furent des sages,
Mère a trempé trois doigts,
trois doigts de sa main gauche :
le pouce, l'index et le majeur ;
Moi j'ai trempé trois doigts :
trois doigts de la main droite :
le pouce, l'index et le majeur.

Avec ses trois doigts rouges de sang,
de sang de chien,
de sang de taureau,
de sang de bouc,
Mère m'a touché par trois fois.
Elle a touché mon front avec son pouce,
Avec l'index mon sein gauche
Et mon nombril avec son majeur.

Moi j'ai tendu mes doigts rouges de sang,
de sang de chien,
de sang de taureau,
de sang de bouc.

1. Récipients de terre cuite, ici, et non oiseaux.

J'ai tendu mes trois doigts aux vents
aux vents du Nord, aux vents du Levant
aux vents du Sud, aux vents du couchant ;
Et j'ai levé mes trois doigts vers la Lune,
vers la Lune pleine, la Lune pleine et nue
Quand elle fut au fond du plus grand canari.

Après j'ai enfoncé mes trois doigts dans le sable
dans le sable qui s'était refroidi.
Alors Mère a dit : « Va par le Monde, Va !
Dans la vie ils seront sur tes pas. »

Depuis je vais
je vais par les sentiers
par les sentiers et sur les routes,
par-delà la mer et plus loin, plus loin encore,
par-delà la mer et par-delà l'au-delà ;
Et lorsque j'approche les méchants,
les Hommes au cœur noir,
lorsque j'approche les envieux,
les hommes au cœur noir
Devant moi s'avancent les Souffles des Aïeux.

Leurres et Lueurs, 1967.

Le viatique, ce sont des provisions pour un voyage qui, ici, devient voyage initiatique. Pour se lancer dans la vie et affronter «les Hommes au cœur noir», le jeune homme doit accomplir certains rites où le chiffre 3 est considéré comme générateur d'action et où l'alliance du sang et de la Lune cautionne la protection des ancêtres avec lesquels les Africains vivent en symbiose (les ancêtres continuent de vivre parmi les vivants, et la mort n'est pas un traumatisme, comme en Europe).

Index monographique

APOLLINAIRE Guillaume *(Rome, 1880 - Paris, 1918).*

De son vrai nom Wilhelm Apollinaris de Kostrowitsky, Apollinaire est le fils d'une Polonaise. Il se fixe à paris en 1902 et fréquente les milieux littéraires et surtout picturaux. La révolution cubiste l'incite à renouveler la poésie française et à la conduire « aux frontières de l'illimité et de l'avenir ». Cet esprit original et ouvert à toutes les recherches nouvelles ne rompt cependant jamais avec la tradition. Ses deux recueils majeurs sont *Alcools* (1913) et *Calligrammes* (1918).

ARAGON Louis *(Paris, 1897-1982).*

Fondateur avec Breton de la revue *Littérature* en 1919, dadaïste, puis surréaliste, Aragon adhère au parti communiste en 1933. Son œuvre poétique mais aussi romanesque porte la marque de cet engagement, et Aragon écrit quelques-uns des plus beaux poèmes de la Résistance, dans le même temps qu'il chante la femme de sa vie, Elsa. Ses principaux recueils sont *Le Crève-cœur* (1941), *Les Yeux d'Elsa* (1942), *La Diane française* (1945), *Le Roman inachevé* (1956), *Les Poètes* (1960) et *Le Fou d'Elsa* (1963).

BAUDELAIRE Charles *(Paris, 1821-1867).*

Révolté contre sa famille bourgeoise (sa mère s'est remariée avec le général Aupick), Baudelaire a très vite le pressentiment d'une « destinée éternellement solitaire ». Il recherche l'évasion sous toutes ses formes, par le biais du dandysme, de la drogue ou des amours tapageuses. Miné par la maladie, il meurt paralysé et aphasique à quarante-six ans. Les deux grands recueils de ce poète qui fut aussi un critique pénétrant (il défendit Delacroix et Wagner et découvrit Edgar Poe) sont *Les Fleurs du mal* (1857) et les *Petits poèmes en prose* (1869).

BRETON André *(Tinchebray, 1896 - Paris, 1966).*

Son aventure littéraire a profondément marqué le XXe siècle. Après avoir exprimé sa révolte par une critique nihiliste du langage en compagnie de Tristan Tzara, Breton se détourne du mouvement Dada pour jeter les bases de son propre mouvement, le surréalisme. Le premier *Manifeste du surréalisme*, paru en 1924, assigne au rêve et à l'écriture automatique la conquête d'un langage nouveau et l'accès à un surréel libéré de toute logique causale. Le second *Manifeste* donnera, en 1930, une orientation plus politique au mouvement. Puis Breton se libérera des contraintes de l'engagement pour se tourner plus librement vers l'ésotérisme et l'utopie. Ses principaux livres sont *Clair de terre* (1923), *Nadja* (1928), *L'Amour fou* (1937), *Arcane 17* (1947).

CENDRARS Blaise *(La Chaux-de-Fonds, 1887 - Paris, 1961).*

De son vrai nom Frédéric Sauser, ce poète français d'origine suisse a fiévreusement visé à une conquête du « monde entier » par le biais d'images violentes et de visions insolites. Ses ouvrages sont nourris de ses innombrables voyages et composent une véritable autobiographie mythique. A côté de son œuvre romanesque, se dégagent quelques recueils majeurs comme *Les Pâques* (1912), la *Prose du Transsibérien et de la petite Jehanne de France* (1913), tous deux repris sous le titre *Du monde entier* en 1919, année où paraît également *Au cœur du monde.*

CÉSAIRE Aimé *(La Martinique, 1913).*

Ce poète antillais a puisé dans la révolte surréaliste les éléments propres à exprimer le désir d'affranchissement du peuple noir. *Cahier d'un retour au pays natal* (1939), *Les Armes miraculeuses* (1946), *Soleil cou coupé* (1948) et *Cadastre* (1961) forment l'œuvre poétique de Césaire qui est également l'auteur de pièces de théâtre.

CLAUDEL Paul *(Villeneuve-sur-Fère, 1868 - Paris, 1955).*

Poète, auteur dramatique, diplomate, Claudel a eu dès 1886 la révélation de la foi : « En un instant je fus touché et je crus. » Dès lors, son œuvre a été un hymne à Dieu et à sa création. Mue par un puissant souffle lyrique, elle aime à puiser dans le quotidien une dimension foncièrement cosmique. Claudel est surtout l'auteur de *Connaissance de l'Est* (1900), des *Cinq Grandes Odes* (1910), de la *Cantate à trois voix* et de *Vers d'exil* (1912).

DESNOS Robert *(Paris, 1900 - Terezin, 1945).*

Véritable champion de l'automatisme verbal, Desnos prend une part active aux expériences de sommeil hypnotique des surréalistes. Mais il s'éloigne d'eux, soucieux de donner libre cours à son humour et à sa fantaisie. Résistant, il sera arrêté et mourra au camp de Terezin, en Tchécoslovaquie. Ses principaux recueils sont *Corps et Biens* (1930) et *Fortunes* (1942).

DIOP Birago *(Dakar, 1906).*

Chantre de la littérature orale africaine, Diop a ressuscité *Les Contes d'Amadou-Koumba* (1947) et écrit quelques poèmes regroupés sous le titre *Leurres et Lueurs* (1967).

ÉLUARD Paul *(Saint-Denis, 1895 - Charenton-le-Pont, 1952).*

De son vrai nom Eugène Grindel, Paul Éluard participe au dadaïsme, puis au surréalisme, avant d'adhérer au parti communiste. Mais il reste libre au sein de ses engagements et ne cesse de chanter, dans un langage d'une cristalline pureté, l'amour, la liberté, la fraternité humaine. Ses principaux recueils sont *Capitale de la douleur* (1926), *L'Amour, la poésie* (1929), *La Vie immédiate* (1932), *Poésie et Vérité 42* (1942), *Au rendez-vous allemand* (1944), *Poésie ininterrompue I et II* (1946 et 1951).

FORT Paul *(Reims, 1872 - Montlhéry, 1960).*

Après avoir été un animateur du mouvement symboliste, Paul Fort reprend la tradition de la ballade et en renouvelle la forme et l'esprit dans une suite monumentale de quarante volumes, intitulée *Ballades françaises.*

FRÉNAUD André *(Montceau-les-Mines, 1907).*

La poésie de Frénaud est fortement chevillée à la réalité qu'elle explore avec une extrême diversité de tons. Répudiant tout rêve paradisiaque, le poète sera tenté de se couler dans les élans révolutionnaires de l'histoire, mais sans se couper de l'essentielle communion avec les êtres et les choses. Ses principaux recueils sont *Les Rois mages* (1944), *Il n'y a pas de paradis* (1962), *La Sainte Face* (1968), *La Sorcière de Rome* (1973), *Haeres* (1982).

GAUTIER Théophile *(Tarbes, 1811 - Neuilly, 1872).*

Romancier (il est l'auteur du *Capitaine Fracasse*), Théophile Gautier a surtout défendu en poésie la conception de « l'art pour l'art », privilégiant les qualités plastiques et la contrainte formelle au détriment du romantisme où baigna pourtant sa jeunesse. Ses principaux recueils sont *España* (1845) et *Émaux et Camées* (1852) qui inaugure l'école parnassienne.

GUILLEVIC Eugène *(Carnac, 1907).*

La poésie dense et concise de Guillevic fait du quotidien l'épopée du réel. L'auteur, qui se sent un homme de la préhistoire, embrasse les choses et l'univers avec un sens du sacré et de la fraternité. Ses principaux recueils sont *Terraqué* (1942), *Exécutoire* (1947), *Carnac* (1961), *Étier* (1979), *Requis* (1982).

HEREDIA José Maria de *(Santiago de Cuba, 1842 - Bourdonné, 1905).*

Ce descendant des conquistadores espagnols aime les souvenirs glorieux des civilisations passées. Mais son art se veut avant tout impersonnel, scrupuleusement érudit, finement imagé. Disciple de Leconte de Lisle, Heredia a réuni en 1893 une centaine de sonnets qui forment *Les Trophées*, recueil très parnassien.

HUGO Victor *(Besançon, 1802 - Paris, 1885).*

Hugo, c'est la poésie même, dans sa diversité, dans sa vitalité. Ce fils de général d'Empire s'est senti d'emblée la fibre littéraire (« Je veux être Chateaubriand ou rien »). Ses *Odes et Ballades* (1822-

1828) concilient classicisme et romantisme. Mais dès la *Préface de Cromwell* (1827), Hugo s'impose comme le chef de l'école romantique et mène victorieusement la « bataille » d'*Hernani* (1830). Dans *Feuilles d'automne* (1831), *Les Chants du crépuscule* (1835), *Les Voix intérieures* ou *Les Rayons et les Ombres* (1840), Hugo nourrit l'image du poète conducteur des peuples. Exilé à Jersey et Guernesey, Hugo exprime sa rage contre le régime de Napoléon III dans *Les Châtiments* (1854). Mais c'est la mort de sa fille Léopoldine qui lui inspire son chef-d'œuvre, *Les Contemplations* (1856), sommet de la poésie lyrique et philosophique. Hugo donnera encore, avant de mourir, deux recueils majeurs, *L'Année terrible* (1872) et *La Légende des siècles* (1859-1883).

JACOB Max *(Quimper, 1879 - Camp de Drancy, 1944).*

Après une vie parisienne de bohème, Max Jacob se convertit en 1909 au christianisme à la suite d'une « vision ». Il fera retraite au monastère de Saint-Benoît-sur-Loire et s'engagera sur les voies de l'expérience mystique. Arrêté comme juif en 1944, il meurt au camp de Drancy. La cocasserie s'allie au mysticisme dans une œuvre qui affecte le ludisme pour clamer sa sincérité. Ses principaux recueils sont *Les Œuvres burlesques et mystiques de frère Matorel* (1912), *Le Cornet à dés* (1917) et *Le Laboratoire central* (1921).

JAMMES Francis *(Tournay, 1868 - Hasparen, 1938).*

Poète de la transparente simplicité et de l'humble réalité, Jammes publie *De l'angélus de l'aube à l'angélus du soir* (1898), *Le Deuil des primevères* (1901), *Le Triomphe de la vie* (1902). *Clairières dans le ciel* (1906) et les *Géorgiques chrétiennes* (1912) chantent son retour au christianisme.

JOUVE Pierre Jean *(Arras, 1887 - Paris, 1976).*

Poète mû par un incessant instinct de rupture, Jouve renie en 1924 son œuvre de jeunesse et entame une « vita nuova » éclairée par les secrets de l'inconscient soudain entrevus. L'Éros et la Mort se livrent un combat sans merci dans son œuvre où plane, omniprésente, l'ombre de la Faute. Ses principaux recueils sont *Les Noces* (1931), *Sueur de sang* (1935), *Matière céleste* (1937), *La Vierge de Paris* (1944), *Diadème* (1949) et *Moires* (1962).

LAMARTINE Alphonse de *(Mâcon, 1790 - Paris, 1869).*

A trente ans, Lamartine est un poète célèbre. Ses *Méditations poétiques* (1820) éblouissent tous les jeunes romantiques. En 1830, l'auteur donne ses *Harmonies poétiques et religieuses*. Mais le poète chrétien sait aussi faire vibrer la corde humanitaire comme dans les *Recueillements* (1839). Opposant à Louis-Philippe, Lamartine devient ministre des Affaires étrangères en 1848, mais l'avènement du Second Empire met fin à sa carrière politique. Accablé de dettes, il termine sa vie condamné aux « travaux forcés littéraires ».

LAUTRÉAMONT *(Montevideo, 1846 - Paris, 1870).*

De son vrai nom Isidore Ducasse, Lautréamont strie la scène poétique d'un rayon éphémère qui a tout l'éclat de la monstruosité blasphématoire. Les *Chants de Maldoror* (1869) et les *Poésies* (1870) contiennent son message sulfureux et désespéré.

LECONTE DE LISLE *(Saint-Paul [la Réunion], 1818 - Voisins, 1894).*

Leconte de Lisle se passionne d'abord pour les idées démocratiques. Mais déçu par l'échec de la révolution de 1848, il se tourne vers une conception de « l'art pour l'art » et devient le chef de file des parnassiens. Ses principaux recueils sont *Poèmes antiques* (1852), *Poèmes barbares* (1862) et *Poèmes tragiques* (1884), compositions austères et solennelles.

MALLARMÉ Stéphane *(Paris, 1842 - Valvins, 1898).*

Cet homme qui exerça la modeste charge de professeur d'anglais a promu une conception de la poésie appelée à avoir des effets durables. Apôtre de l'hermétisme, Mallarmé a d'abord suivi le sillage de Baudelaire avant d'élaborer le culte de l'impersonnalité du poète et de forger une syntaxe ambiguë où les mots, utilisés dans des fonctions inhabituelles, sont conviés à délivrer un sens nouveau. Mallarmé verra toute la jeunesse avant-gardiste et symboliste se réunir autour de lui lors des célèbres « mardis » de la rue de Rome. *Poésies complètes* (1887), *Vers et Prose* (1893) et *Divagations* (1897) jalonnent son itinéraire qui culmine dans *Un coup de dés jamais n'abolira le hasard* où la disposition typographique « éclatée » du poème ouvre des perspectives à la poésie à venir.

MICHAUX Henri *(Namur, 1899 - Paris, 1984).*

Michaux se livre à des explorations angoissées de son monde intérieur, où se mêlent ses voyages réels ou imaginaires, ses interrogations sur la peinture (qu'il pratique), son expérience des drogues hallucinogènes. L'épreuve et l'exorcisme sont les mouvements naturels de cette poésie qui récuse toute classification et c'est presque arbitrairement que nous l'avons classée dans la partie « Jouer avec le langage » ! Les principaux recueils de Michaux sont *Qui je fus* (1927), *Un certain Plume* (1930), *La Nuit remue* (1935), *Épreuves, exorcismes* (1946), *Connaissance par les gouffres* (1962), *Émergences-résurgences* (1972) et *Chemins cherchés, chemins perdus, transgressions* (1982).

MUSSET Alfred de *(Paris, 1810-1857).*

Cet auteur très précoce a écrit à trente ans l'essentiel de son œuvre. Après *Contes d'Espagne et d'Italie* (1830), Musset — qui doit surtout sa célébrité au théâtre — donne *Rolla* en 1833. La fantaisie fait place à un lyrisme grave dont témoignent les célèbres *Nuits* (1835-1837) inspirées par sa liaison avec George Sand. La tentation de la débauche se double chez Musset d'une nostalgie de la pureté.

NERVAL Gérard de *(Paris, 1808-1855).*

De son vrai nom Gérard Labrunie, Nerval devient dès 1828 célèbre grâce à une traduction du *Faust* de Goethe. Mais sa liaison avec l'actrice Jenny Colon l'entraîne dans les labyrinthes de l'amour impossible. Une certaine fragilité psychique (il a perdu très jeune sa mère) fait alterner sa vie entre des séjours en clinique et des périodes de lucidité. En 1855, on le retrouve pendu dans Paris. *Aurélia* (1855) est le récit hallucinant de sa « descente aux enfers ». Un récit plus charmant l'a précédé : *Sylvie* (1854). Quant au chef-d'œuvre poétique de Nerval, ce sont les mystérieux sonnets des *Chimères* (1854).

PONGE Francis *(Montpellier, 1899).*

Si Francis Ponge prend le parti des choses, c'est pour mieux prendre à partie les mots. Car la matière sur laquelle le poète entend travailler, c'est avant tout les mots, leur étymologie, leurs dérives sonores, seuls aptes à la fabrication d'un objet évident et superbement démystifié. Poète de l'élucidation et de l'explicitation, Ponge s'est le mieux exprimé dans *Le Parti pris des choses* (1942), *Proêmes* (1948), *La Rage de l'expression* (1952), *Pour un Malherbe* (1965), *La Fabrique du pré* (1971).

PRÉVERT Jacques *(Neuilly, 1900 - Ormonville-la-Petite, 1977).*

La popularité de la poésie de Jacques Prévert tient au fait qu'elle chante avec les mots les plus simples des sentiments comme l'amour, l'amitié ou le bonheur. Mais Prévert sait surtout assortir ses poèmes (qui ont souvent été mis en musique) d'une verve frondeuse et d'un gentil anarchisme ouvert à la cocasserie des jeux de mots et à la spontanéité du langage parlé. Paru en 1945, *Paroles* a révélé Prévert qui a publié ensuite *Spectacle* (1951), *La Pluie et le beau temps* (1955), *Histoires* (1963).

QUENEAU Raymond *(Le Havre, 1903 - Paris, 1976).*

Esprit encyclopédique d'une intelligence virevoltante, Queneau se plaît à démonter les secrets du langage et de ses structures. L'humour et la dérision innervent ce qu'il appelle ses « exercices de style » aussi bien poétiques que romanesques — Queneau est l'auteur de *Zazie dans le métro* —, mais où se profile toujours une réflexion sur l'homme confronté à un monde absurde. Ses principaux recueils sont *Les Ziaux* (1943), *L'Instant fatal* (1948), *Petite Cosmogonie portative* (1950), *Cent mille milliards de poèmes* (1961), *Courir les rues* (1967), *Morale élémentaire* (1975).

REVERDY Pierre *(Narbonne, 1889 - Solesmes, 1960).*

Fondateur de la revue *Nord-Sud* (1917-1918) à laquelle collaborèrent Apollinaire, Tzara et Breton, Reverdy se retire dès 1926 à Solesmes. La poésie épurée de cet homme solitaire et exigeant s'apparente le plus souvent à une réflexion sur la création poétique. Reverdy est surtout l'auteur de *Poèmes en prose* (1915), *La Lucarne ovale* (1916), *Flaques de verre* (1929), *Ferraille* (1937), *Le Chant des morts* (1948).

RIMBAUD Arthur *(Charleville, 1854 - Marseille, 1891).*

En trois années (de dix-sept à vingt ans), Rimbaud aura accompli sa fulgurante destinée poétique, marquée par la révolte de l'adolescence et plus encore par une extraordinaire façon de donner congé à l'écriture et à ses supposés pouvoirs. Le « voleur de feu », mûri par sa liaison tumultueuse avec Verlaine, décidera soudain de faire silence et ira en Afrique mener une absurde vie de négociant. Il ne regagnera la France que pour être amputé d'une jambe et mourir. De son vivant, seule *Une saison en enfer* a été publiée (1873), mais non diffusée. Ses *Poésies* et *Illuminations* forment les autres volets de son œuvre éphémère.

SAINT-JOHN PERSE *(Pointe-à-Pitre, 1887 - Hyères, 1975).*

De son vrai nom Alexis Léger Saint-Léger, il mène une brillante carrière diplomatique en même temps que ses rares recueils font date. Ces derniers gardent l'empreinte de l'enfance antillaise du poète et s'ils célèbrent les grands éléments de la nature, ils insistent aussi sur la profondeur intemporelle de l'œuvre d'art. Les principaux recueils de cet auteur qui reçut le prix Nobel en 1960 sont *Éloges* (1911), *Anabase* (1924), *Vents* (1946), *Amers* (1957), *Chronique* (1960), *Oiseaux* (1962).

SENGHOR Léopold Sédar *(Joal [Sénégal], 1906).*

Agrégé de grammaire et longtemps président de la République du Sénégal, Senghor s'est imposé comme le premier grand poète de la négritude. Ses recueils (*Chants d'ombre*, 1945 ; *Hosties noires*, 1948 ; *Éthiopiques*, 1956 ; *Nocturnes*, 1961 ; *Lettres d'hivernage*, 1973) font place à une incantation nourrie du tiraillement entre deux cultures, mais dans le souci d'une accession à l'universel.

SUPERVIELLE Jules *(Montevideo, 1884 - Paris, 1960).*

Le poète, qui partagera sa vie entre l'Uruguay et la France, aspire à un art clair et intelligible, loin des séductions de l'onirisme. C'est sa façon de chanter la « fable » d'un monde harmonieux et éternellement recommencé. Ses principaux recueils sont *Gravitations* (1925), *Le Forçat innocent* (1930), *Les Amis inconnus* (1934), *La Fable du monde* (1938), *Oublieuse mémoire* (1949), *Naissances* (1951).

TARDIEU Jean *(Saint-Germain-de-Joux, 1903).*

D'abord admirateur de Valéry, Jean Tardieu confère ensuite à son langage toutes les ressources du burlesque et du cocasse, avec un sens inné du théâtre et une maîtrise inquiète de l'humour. Ses principaux recueils sont *Le Fleuve caché* (1933), *Le Témoin invisible* (1943), *Monsieur Monsieur* (1951), *Un mot pour un autre* (1951), *Une voix sans personne* (1954), *Histoires obscures* (1961), *Formeries* (1976), *Comme ceci comme cela* (1979), *Margeries* (1986).

TZARA Tristan *(Moinesti [Roumanie], 1896 - Paris, 1963).*

De son vrai nom Samuel Rosenstock, il crée en 1916 à Zurich le mouvement Dada, contestation radicale et nihiliste de la littérature. Il arrive à Paris en 1920, participe à l'aventure surréaliste de 1929 à 1935, puis se rapproche du parti communiste. Les principaux recueils de cette œuvre toute en éruptions verbales sont *Vingt-cinq poèmes* (1918), *L'Homme approximatif* (1931), *Midis gagnés* (1939), *Parler seul* (1950).

VALÉRY Paul *(Sète, 1871 - Paris, 1945).*

Ses débuts brillants sont salués par Mallarmé, mais en 1892 Valéry décide de délaisser la poésie (son silence durera vingt ans) pour se consacrer à la maîtrise de soi et à la connaissance du fonctionnement de l'esprit. C'est sur les instances de Gide qu'il reviendra à la poésie, écrivant l'essentiel de son œuvre entre 1917 et 1922. Nommé professeur de poétique au Collège de France en 1937, il achève sa vie au milieu des honneurs. Son œuvre poétique se compose de *La Jeune Parque (1917), Le Cimetière marin* (1920), *Album de vers anciens, 1890-1900* (1920), *Charmes* (1922).

VERLAINE Paul *(Metz, 1844 - Paris, 1896).*

Tous les poèmes de Verlaine ont été écrits entre 1865 et 1885. Si Verlaine a d'abord été influencé par les parnassiens, il a su transformer leur impassibilité laborieuse en tristesse naïve, en nostalgie harmonieuse, en sensation auditive comme en témoignent les *Poèmes saturniens* (1866), les *Fêtes galantes* (1869) et *La Bonne Chanson* (1870). Sa rencontre avec Rimbaud le conduit ensuite sur les chemins du drame et de la prison, mais sa créativité reste intacte. Poète-musicien, Verlaine distille les secrets de sa parole suggestive dans *Romances sans paroles* (1874), *Sagesse* (1881) et *Jadis et Naguère* (1885). Longtemps misérable, alcoolique et maudit, Verlaine connaît une gloire tardive alors qu'il n'est plus que l'ombre de lui-même.

VIGNY Alfred de *(Loches, 1797 - Paris, 1863).*

Issu d'une vieille famille noble, Vigny rêve de gloire militaire, mais, déçu par la vie de garnison, il se réfugie dans la littérature. Il compose *Moïse* dès 1822 et publie ses *Poèmes anciens et modernes* en 1826. Il écrit quelques romans historiques et pièces de théâtre, mais ne publie presque plus rien jusqu'à sa mort. *Les Destinées* qui paraissent en 1864 dans une édition posthume s'imposent comme son chef-d'œuvre. Dans de longs poèmes, Vigny adopte une position stoïque. Orphelin de Dieu, l'homme peut du moins avoir recours à la religion de « l'esprit pur ».

Commentaires

par

Daniel Leuwers

Du romantisme à la modernité

On s'accorde aujourd'hui à considérer que la poésie française moderne prend véritablement naissance à la fin du XIXᵉ siècle. Et les noms de Baudelaire, de Rimbaud et de Mallarmé sont les plus beaux fleurons de l'acte de naissance. Cette façon d'envisager l'histoire littéraire tend à opérer une coupure entre le romantisme et ce qui durablement va s'opposer à lui. Elle est cautionnée par de nombreux poètes contemporains qui, à l'« inspiration » romantique jugée désuète, préfèrent le « travail de l'écriture », la lutte matérielle avec les mots. La poésie est-elle affaire d'inspiration ou de combat avec le verbe ? C'est en tout cas là une manière de synthétiser — et de schématiser — le débat éternellement repris entre les « anciens » et les « modernes ».

Les « anciens », ce serait donc les poètes romantiques qui privilégient l'inspiration comme temps premier et essentiel de la création. Les romantiques ont des états d'âme, sont mus par des sentiments extrêmes, des passions exacerbées, et leur plume est là pour les traduire, sans déperdition d'énergie. Les romantiques n'hésitent pas à faire de leur vie le tremplin même de leur création. Les vases communiquent entre la vie et l'œuvre qui aspire à être son écho sublimé. Les romantiques sont également à l'écoute de forces transcendantes — celles que leur souffle l'inspiration par le biais de la muse —, forces qui viennent de Dieu ou d'une puissance céleste moins clairement circonscrite.

« Poète, prends ton luth et me donne un baiser » : ce célèbre vers d'Alfred de Musset pourrait symboliser la création romantique. La muse interpelle le poète et lui demande d'être sa complice, de la chanter. Elle se fait l'intermédiaire entre le poète et les forces d'essence divine qu'il pourra capter à travers elle. Il y a ainsi une sorte de filiation qui part de l'inspiration d'ordre divin, qui passe par la muse — son relais terrestre —, qui descend jusqu'au poète appelé à être le traducteur du message, et qui arrive enfin au lecteur — dernier maillon de la chaîne. Pour les romantiques, la poésie s'apparente souvent à un don divin que le commun des mortels est convié à recevoir avec reconnaissance. Entre Dieu et le lecteur, la muse et le poète servent de courroie de transmission. Aussi, il n'est pas surprenant que le poète romantique se prenne souvent pour un mage ou pour un oracle lorsque la transmission s'opère harmonieusement, et qu'il s'en prenne à Dieu et l'invective lorsque celle-ci est plus malaisée, que l'au-delà se fait hostile ou muet.

A l'opposé de cette trajectoire qui sert de support au romantisme, les « modernes » proposent un pacte où le lecteur trouve une place privilégiée. Attentifs à la fameuse formule de Nietzsche selon laquelle « Dieu est mort », les poètes modernes sont de moins en moins à l'écoute d'un quelconque au-delà et se passent volontiers de la muse entremetteuse. Leur mot d'ordre pourrait être le dernier poème en vers rimés que Croniamental (*alias* Apollinaire) soumet à l'Oiseau du Bénin (*alias* Picasso), dans *Le poète assassiné*. Ce poème extrêmement concis, c'est simplement

> « Luth
> Zut ! »

et c'est là une réponse ironique au vers de Musset : « Poète, prends ton luth et me donne un baiser. » Le poète n'a plus à prendre son luth et à se placer sous la dépendance de la muse. Il doit assumer seul son travail d'écriture — travail de démystification auquel le lecteur est invité à s'associer. Une certaine idée romantique du poète a ainsi été assassinée. Les dieux poétiques sont morts ; commence le règne d'une écriture qui accepte désormais de n'avoir qu'une « action restreinte », pour reprendre une formule de Mallarmé.

C'est ce même Mallarmé qui a écrit : « Lire — cette pratique », voulant insister par là sur le fait que le moment essentiel de l'acte poétique est celui de la lecture. C'est le lecteur qui donne vie au poème et qui lui donne son sens (ou ses sens). Alors que dans l'optique romantique, le lecteur n'est le plus souvent qu'un consommateur passif, les poètes modernes veulent lui attribuer un rôle très actif. Si les forces divines soutiennent la parole romantique, c'est le lecteur libre et complice que sollicitent les poètes de la modernité. Et ce lecteur sera d'autant mieux atteint qu'auront été mis en place certains processus de provocation et de séduction. C'est donc un véritable bouleversement idéologique qui s'est produit entre le romantisme et les poètes de la modernité.

Le passage du romantisme à la modernité a surtout été assuré par un poète comme Charles Baudelaire. Ce dernier est certes encore un héritier du romantisme dans maints poèmes des *Fleurs du mal*, et le tiraillement entre le « spleen » et l'« Idéal » est un thème proprement romantique. Pourtant Baudelaire va faire franchir à la pensée poétique un pas capital (mais mal perçu à son époque) en affirmant que le débat auquel est soumis tout artiste ne réside plus dans une lutte entre le Bien et le Mal — manichéisme accrédité par le christianisme —, mais qu'il doit se déplacer et faire place à une alliance entre le Beau (nouveau concept) et le Mal. Le Bien qui avait toutes les faveurs et vers lequel tout devait culminer se trouve donc remis en question et éliminé au profit du Beau. La poésie veut ainsi se débarrasser des valeurs morales au profit de valeurs purement esthétiques. L'artiste ne veut plus être celui qui soutient un ordre moral ou social. Il se sent plutôt le devoir de le subvertir. Et dans cette perspective, il serait erroné de rêver à une alliance entre le Beau et le Bien trop entaché de moralisme et de récompense céleste. Au contraire, le Beau doit faire alliance avec le Mal qui incarne l'interdiction. Le Beau s'apparente de la sorte à une force de transgression. Le Beau pourra ainsi naître de la description d'« une charogne »[1] ou de l'évocation d'amours interdites.

La beauté devient donc le lieu de forces sataniques ou

1. Titre même d'un poème des *Fleurs du mal*.

corrosives. La religion est tout naturellement la cible de poètes en révolte comme Rimbaud ou Lautréamont. Un ordre idéologique s'effondre. Mais l'apparition de Mallarmé va permettre un retour de la religion, avec cette différence capitale toutefois que le culte mallarméen ne sera plus celui de Dieu, mais celui du langage. La religion n'a pas été répudiée, elle a seulement été déplacée. Les surréalistes en auront bien conscience, qui voudront à leur tour en finir avec Dieu et toutes les récupérations mystiques. Après avoir longtemps admiré Rimbaud, André Breton l'écartera de son Panthéon pour la seule raison que Claudel — le très chrétien Claudel — a pu voir en lui un « mystique à l'état sauvage » ! Dieu ne doit plus être le seul maître à bord, et l'on se plaît à le jeter par-dessus bord avec un humour et une jubilation qui accentuent l'usure de son prestige. Les surréalistes regardent plutôt du côté de Freud et de Marx pour clamer la légitimité de tous nos désirs (dont la psychanalyse met au jour les sources inconscientes) et pour hâter la venue d'une révolution sociale qui serait également une libération totale de l'homme, aussi bien culturelle que sexuelle. Une telle poésie du corps est évidemment aux antipodes de la poésie romantique qui opérait une nette distinction entre le corps, fort négligeable, et l'âme, objet de toutes les attentions et sublimations.

La poésie du xxᵉ siècle n'en a pourtant point fini avec Dieu, et maints poètes chrétiens continuent d'œuvrer aujourd'hui. Il n'empêche que la vague surréaliste a bousculé beaucoup d'habitudes et que le sacré ne dépend plus de la volonté divine mais plutôt d'une communion simple avec les choses d'ici-bas. Entre la toute-puissance céleste et la libération effrénée du désir, la poésie française de la fin du siècle se cantonne à un territoire plus modeste, à hauteur d'homme. Il ne s'agit plus d'être « ancien » ou « moderne », mais simplement d'être soi-même, avec les mots et les choses qui nous entourent.

Cinq lignes de force

Les lignes maîtresses de la poésie contemporaine sont au nombre de cinq. Elles pourraient se définir ainsi : l'abandon du vers au profit de formes plus libres, l'intégration des forces de l'inconscient dans le flux du langage, la reconnaissance de la valeur polysémique des mots, la fascination-émulation exercée par des arts voisins comme la peinture ou la musique, enfin la tentation de l'engagement.

Dès la seconde moitié du xixe siècle, le vers rimé commence à être contesté. Baudelaire passe des *Fleurs du mal* (1857), où l'alexandrin domine et la rime demeure toute-puissante, aux *Petits poèmes en prose* (1866) qui se coulent dans une prose « assez souple et assez heurtée pour s'adapter aux mouvements lyriques de l'âme ». Les marques extérieures de la poésie s'intériorisent soudain, et presque tous les poètes suivront l'exemple de Baudelaire : Rimbaud écrit des *Poésies* de forme traditionnelle en 1870 et 1871 avant de composer *Une Saison en enfer* et *Illuminations*, textes en prose. Il y a, bien sûr, des îlots de résistance, et maints critiques paresseux pour dire que les poètes qui écrivent en prose le font parce qu'ils ne savent pas écrire en vers ! Mais le xxe siècle voit le triomphe de la prose qui a l'avantage de sortir la poésie d'un corset trop rigide. Pourtant, les contraintes du vers avaient peut-être du bon puisque certains poètes éprouvent quelquefois le besoin d'y revenir et qu'un Louis Aragon proposera, au sortir de la seconde guerre mondiale, un retour généralisé au sonnet — sans succès, il est vrai.

L'intégration des forces de l'inconscient dans le flux du langage est un phénomène parallèle aux découvertes des mécanismes de l'inconscient, dès la fin du xixe siècle. Comme Jouve l'écrira en 1933 dans son avant-propos au recueil *Sueur de sang* : « L'homme n'est pas un personnage en veston ou en uniforme ; il est plutôt un abîme douloureux, fermé, mais presque ouvert, une colonie de forces insatiables, rarement heureuses, qui se remuent en rond comme des crabes avec lourdeur et esprit de défense. » L'homme n'a pas qu'une façade sociale, il est la proie de forces pulsionnelles qui oscillent entre le « surmoi » (ins-

tance interdictrice) et le « ça » (moteur de nos désirs éroti-
ques). Le langage poétique, dès avant les surréalistes, a
voulu être le témoin de la lutte qui agite tout homme et le
jette tour à tour dans la joie et la culpabilité. En refusant
d'adopter un langage faussement rassurant et rationnel, la
poésie se fait alors la caisse de résonance de l'inconscient.
Sous le parquet ciré, veille la cave des instincts. Rimbaud
en avait le pressentiment, qui écrit dans sa lettre du voyant
de mai 1871 : « Il est faux de dire : Je pense : on devrait
dire : On me pense. » Le sujet pensant s'efface au profit des
forces souterraines qui le meuvent.

La reconnaissance de la valeur polysémique des mots est
naturelle en poésie. Si, dans un roman, un mot est employé
dans un seul sens, évident pour le lecteur, dans un poème il
se doit d'avoir plusieurs significations. La poésie, c'est l'art
de charger les mots d'un maximum de sens, d'en faire
miroiter les multiples facettes avec l'aide du contexte et de
la syntaxe. A ceux qui interrogeaient Rimbaud sur le sens
exact d'un de ses poèmes, celui-ci répondit : « J'ai voulu
dire ce que ça dit, littéralement et dans tous les sens. » La
poésie n'est jamais une définition univoque de la réalité ; au
contraire, elle bouscule nos rapports avec le réel. Un mot
n'est plus une chose, il est une multiplicité de choses qui
n'ont plus rien à voir avec la chose apparemment désignée.
Le discours poétique court-circuite ainsi toute équivalence
paresseuse et évite la « rouille de la pensée », pour reprendre
une formule du linguiste Roman Jakobson. Miroitant de
sens multiples, les mots nous maintiennent en éveil et nous
mettent en garde contre les dangers du discours bassement
politique, univoque et totalitaire. Accepter de jouer avec
les mots, c'est finalement refuser l'emprisonnement idéologique.

La poésie du XXᵉ siècle a beaucoup gagné de son compagnonnage avec les peintres. En intégrant la révolution des
peintres cubistes à sa propre poésie, Apollinaire l'a renou-
velée, l'a ouverte à des territoires nouveaux. La découverte
de la photographie a rendu caduque la peinture figurative, et
il était bon que les poètes aussi sortent de la description
figurative de leurs états d'âme, qu'ils cessent de pratiquer
une écriture de l'aventure au profit d'une aventure de l'écri-

ture. Reverdy, Éluard, Char, Ponge, Frénaud ont écrit leurs poèmes dans un contact toujours étroit avec les peintres de leur temps. La musique a également connu d'importantes métamorphoses au XXᵉ siècle, avec l'avènement de la notation dodécaphonique ou du jazz dont quelques poèmes d'aujourd'hui miment les variations et les ruptures de rythme.

Enfin, la tentation de l'engagement n'est pas un phénomène propre au XXᵉ siècle. Hugo a été un écrivain engagé et a eu une vie publique et politique. Les surréalistes, après avoir été attentifs aux découvertes freudiennes, vont ensuite vouloir se mettre au service de la Révolution. Une vague d'adhésions au parti communiste s'ensuivra ; Breton quittera finalement le Parti pour s'allier à Trotski, tandis qu'Aragon et Éluard y demeurcront fidèles. Autour de ces quelques exemples renaîtra l'interminable débat entre les tenants d'une poésie qui se doit d'être indépendante ou tout au plus dissidente et les partisans d'un engagement où les poètes trouveraient un élan toujours nouveau. Débat qui se perpétuera pendant la seconde guerre mondiale, mais qui a été mieux circonscrit par un Sartre et un Camus que par les poètes eux-mêmes, moins à l'aise par nature sur un terrain idéologique que leurs poèmes ont naturellement tendance à transcender.

La poésie et son public

Si aujourd'hui la poésie se vend très mal en regard du roman, la situation n'était pas la même dans la première moitié du XIXᵉ siècle. Le fossé entre les deux genres n'était pas si grand, et les recueils poétiques avaient des tirages plus qu'honorables. Les revues contribuaient beaucoup à leur diffusion, une diffusion, il faut le préciser, qui affectait exclusivement Paris, les campagnes étant, elles, alimentées par la littérature de colportage.

Le poète romantique a un public d'autant plus fourni qu'il s'adonne souvent parallèlement au théâtre et au roman. Mais, au milieu du XIXᵉ siècle, le statut social du

poète va sensiblement changer. La poussée de l'industriali-
sation et le triomphe du capitalisme ne sont guère favora-
bles à la poésie. Si l'aristocratie et la noblesse s'étaient fait
une gloire de soutenir et d'encourager les artistes, la bour-
geoisie conquérante n'a que faire d'une activité qu'elle juge
parasitaire. Le poète, tel le Chatterton de Vigny, devient le
paria de la société et se trouve acculé à une sorte de suicide,
sinon physique, du moins moral. Nerval et Baudelaire ont
incarné dans leur chair et dans leur œuvre le destin du poète
« maudit ». Verlaine intitulera, en 1884, une étude sur les
poètes de la fin du siècle « Les Poètes maudits ». Les poètes
perdent alors leur public traditionnel et se cherchent dans
une solitude éprouvante et parfois dégradante. Leur aventure est un cri de révolte individuelle qui n'est pas entendu
à l'époque ou que l'on fait taire quand il est trop dérangeant
(ainsi Baudelaire se voit contraint par le tribunal de supprimer de son recueil *Les Fleurs du mal* certains poèmes jugés
trop licencieux). Nerval, Baudelaire et Rimbaud ne seront
véritablement découverts et lus qu'au XXᵉ siècle.

A l'orée du XXᵉ siècle, le poète n'est plus un aristocrate ou
un fils de bonne famille. Il doit gagner sa vie en s'épuisant
dans la besogne journalistique ou en s'assurant un poste de
fonctionnaire (Mallarmé peut mener son œuvre hautaine et
audacieuse parce qu'il est professeur d'anglais dans un
lycée). L'ère du poète-professeur commence (ils sont légion
aujourd'hui), mais les exceptions sont nombreuses, et les
existences marginales s'avèrent le plus souvent propices à
l'éclosion des œuvres les plus étonnantes du siècle. Apollinaire est surtout l'ami des peintres, et les surréalistes suivront fréquemment son exemple, vivant des tableaux qui
leur étaient offerts et des éditions rares pour bibliophiles
dont ils se feront une spécialité. Michaux mènera parallèlement une activité de poète et de peintre.

Les avant-gardes du début du siècle ainsi que le surréalisme n'auront pas une foule de lecteurs, loin de là, et il
faudra un événement tout extérieur, la seconde guerre mondiale, pour que la poésie acquière soudain un public impor-
tant. Revues et recueils s'arrachent pendant cette période
fiévreuse où ils incarnent l'esprit de la Résistance. Liée à
une cause urgente, la poésie trouve des lecteurs qu'elle

conservera encore quelque temps après 1945. Mais les recherches formelles de certains créateurs et une certaine complaisance dans l'hermétisme rebuteront vite le grand public. A côté d'une poésie dite « exigeante » et réservée à quelques spécialistes, se développera une poésie plus « populaire » qui obtiendra des tirages importants (*Paroles* de Jacques Prévert est un best-seller). Le recours à la chanson est un phénomène de l'après-guerre qui a contribué à une large diffusion de l'œuvre de Prévert, d'Aragon, de Boris Vian. Ce qui n'a pas été sans provoquer une réaction de mépris chez ceux qui estiment que la poésie est faite pour être lue (position chère à Mallarmé) et non pour être entendue. Et pourtant, la poésie n'était-elle pas chantée et psalmodiée à l'origine, et les troubadours n'en ont-ils pas été les messagers au Moyen Age ?

L'exigence du langage implique-t-elle fatalement une coupure avec le grand public ? Incompris de son temps, Baudelaire est universellement reconnu aujourd'hui. Peut-être un décalage est-il souvent nécessaire pour nous accoutumer à la nouveauté d'un message ? Les poètes aimeraient en fait que leur goût du nouveau, toujours en éveil, soit un aimant pour le lecteur, mais celui-ci n'est pas toujours un aventurier et se retranche souvent derrière le confort des habitudes. La poésie, dans la mesure où elle refuse un retour à la tradition et où elle veut être une invitation à lire autrement, serait-elle vouée à un public restreint d'aventuriers de l'esprit ? L'importance de ce public peut en fait fluctuer en fonction des désirs et des rejets inattendus d'une époque. Au rebours de la démagogie propre aux médias, les poètes attendent que les lecteurs viennent à eux, et ils savent que seul le temps risque d'être leur plus puissant allié. Mais sur les nombreux candidats à l'immortalité, combien seront finalement retenus ?

La métrique en déclin

La poésie française a vécu longtemps sous le règne du vers et de la rime. Les poètes romantiques et parnassiens en sont encore tributaires, avant l'avènement progressif du vers libre à la fin du xixe siècle.

Qu'est-ce qu'une **rime** ? C'est une disposition de sons identiques à la finale de mots placés à la fin de deux vers. Les rimes « riches » sont celles qui comprennent au moins une voyelle et sa consonne d'appui (ex. : « orage » et « hommage »), mais l'adjonction d'une consonne supplémentaire peut les rendre plus riches encore (ex. : « image » et « hommage »). Les rimes « pauvres » sont celles qui ne comprennent qu'une voyelle (ex. : « ami » et « pari »). On appelle rimes féminines celles qui se terminent par un « e » muet, et rimes masculines toutes les autres ; le genre du substantif n'a rien à voir dans cette distinction. Les rimes traditionnelles se suivent sur le modèle AABBCC, mais il existe aussi des rimes « croisées » (modèle ABAB) et des rimes « enchâssées » (modèle ABBA). On peut enfin parler de rimes « intérieures » lorsqu'elles se produisent à l'**hémistiche**, c'est-à-dire à la moitié d'un vers marqué par un repos. Dans l'alexandrin (vers de douze pieds, les « e » muets comptant comme pieds), l'hémistiche se situe donc au sixième pied ; dans l'octosyllabe (huit pieds), au quatrième pied ; dans le décasyllabe (dix pieds), au cinquième pied. Et il existe une variété de longueurs de vers.

Dans la poésie classique française, le modèle le plus répandu a été le **sonnet**, poème de quatorze vers composé de deux quatrains à rimes embrassées et de deux tercets. Le quatrain rassemble quatre vers en une strophe, et le tercet trois vers.

Différentes étapes ont été franchies avant que la **prose** ne prenne le pas sur le **vers rimé**. Le **verset** est ainsi une phrase ou une suite de phrases rythmées d'une seule respiration et où la rime, certes permise, n'est pas obligatoire. La **ballade** est un petit poème de forme régulière composé de trois couplets ou plus, et qui contient un refrain (suite de mots répétés plusieurs fois) et un envoi (dernière strophe de quatre vers qui dédie le poème à quelqu'un).

Si les poètes classiques étaient attentifs à la rime — surtout aux rimes riches — et se voulaient savants dans le maniement de l'**enjambement** (procédé consistant à reporter sur le vers suivant un ou plusieurs mots dépendant syntaxiquement du précédent), les poètes modernes recourent plutôt à l'**assonance** qui est la répétition d'une simple voyelle accentuée à la fin de chaque vers ou en fin de phrase (ex. : « belle » et « rêve »). On remarquera que si les poètes modernes adoptent la prose, ils ne l'utilisent pas toujours comme prose banale mais la disposent sur la page à la façon de vers — des **vers libres**, comme on a dit longtemps. Le « vers-librisme » (l'expression a eu cours à la fin du XIXe siècle) est-il un équivalent du **poème en prose** ? Peut-être faudrait-il voir dans le vers libre une certaine disposition typographique qui témoigne d'une nostalgie du vers rimé, alors que le poème en prose assume un flux plus librement continu. En tout cas, le poète moderne, dégagé des contraintes, est souvent partagé entre le désir de s'en créer de nouvelles et une soif jubilatoire de liberté. Apollinaire écrira des « calligrammes » et les surréalistes répéteront que les mots doivent « faire l'amour » sur la page. L'éventail des possibilités poétiques s'en trouve dès lors décuplé.

Phrases clefs sur les poètes et la poésie

Je suis le premier [...] qui ai donné à ce qu'on nommait la Muse, au lieu d'une lyre à sept cordes de convention, les fibres mêmes du cœur de l'homme, touchées et émues par les innombrables frissons de l'âme et de la nature. (Lamartine.)

Poésie ! ô trésor ! perle de la pensée ! (Vigny.)

Tout est sujet ; tout relève de l'art ; tout a droit de cité en poésie [...] Le poète est libre. (Victor Hugo.)

Peuples ! écoutez le poète !
Écoutez le rêveur sacré !
[...]
Car la poésie est l'étoile
Qui mène à Dieu rois et pasteurs ! (Victor Hugo.)

Il n'y a de vraiment beau que ce qui ne peut servir à rien ; tout ce qui est utile est laid. (Gautier.)

La Poésie est l'expression, par le langage humain ramené à son rythme essentiel, du sens mystérieux des aspects de l'existence ; elle doue ainsi d'authenticité notre séjour et constitue la seule tâche spirituelle. (Mallarmé.)

La poésie ne rythmera plus l'action, elle sera en avant. (Rimbaud.)

Cette émotion appelée poésie. (Reverdy.)

La poésie n'est ni dans la vie ni dans les choses. C'est ce que vous en faites et que vous y ajoutez. (Reverdy.)

Un poème doit être une fête de l'intellect. (Valéry.)

Un poème doit être une débâcle de l'intellect. (Eluard.)

Le poète est celui qui inspire bien plus que celui qui est inspiré. (Éluard.)

Le poème est l'amour réalisé du désir demeuré désir. (René Char.)

La poésie est connaissance et elle commettrait une erreur mortelle à l'oublier. (Michel Deguy.)

Remerciements

Nous remercions Messieurs les Éditeurs qui nous ont autorisés à reproduire des textes ou fragments dont ils conservent l'entier copyright.

Denoël

Blaise CENDRARS, « OpOetic », extrait de *Du monde entier*, © 1927, rééd. 1962.

Flammarion

Paul FORT, « Complainte du petit cheval blanc », et « La corde », extraits de *Ballades françaises*, 1897-1960, © 1963.

Pierre REVERDY, « Nomade », extrait de *Plupart du temps*, © 1967.

Tristan TZARA, « Chanson dada », extrait de *De nos oiseaux* (« Œuvres complètes »), © 1975.

Gallimard

Guillaume APOLLINAIRE, « Le pont Mirabeau », extrait d'*Alcools*, coll. « Poésie », © 1971. « La petite auto » et « Cœur couronne et miroir », extraits de *Calligrammes*, coll. « Poésie », © 1970.

Louis ARAGON, « Strophes pour se souvenir », extrait de *Le Roman inachevé*, © 1956, nouv. éd. 1970.

André BRETON, « Tournesol », extrait de *Clair de terre*, coll. « Poésie », © 1966.

Aimé CÉSAIRE, « Prophétie », extrait de *Les Armes miraculeuses*, coll. « Poésie », © 1970.

Paul CLAUDEL, « Ténèbres », extrait de *Corona Benignitatis Anni Dei*, © 1916.

Robert DESNOS, « C'était un bon copain », « Le bonbon », « Notre paire », extraits de *Corps et biens*, coll. « Poésie », © 1968.

André FRÉNAUD, « Les paroles du poème », extrait de *Depuis toujours déjà*, coll. « Blanche », © 1970.

Eugène GUILLEVIC, « Art poétique V », extrait de *Terraqué*, coll. « Poésie », © 1968.

Max JACOB, « Avenue du Maine », extrait de *Les Œuvres burlesques et mystiques de frère Matorel*, 1912.

Henri MICHAUX, « Le grand combat », extrait de *Qui je fus*, 1927, in *L'Espace du dedans*, © 1944, et « Mes occupations », extrait de *Mes propriétés*, 1929, in *L'Espace du dedans*, © 1944.

Francis PONGE, « Le cageot », extrait du *Parti pris des choses*, coll. « Poésie », © 1966.

Jacques PRÉVERT, « Cortège », extrait de *Paroles*, © 1972.

Raymond QUENEAU, « Pour un art poétique », 1, 5 et 9, extraits de *L'Instant fatal,* coll. « Poésie », © 1966.

SAINT-JOHN PERSE, « Pour fêter une enfance II », extrait de *Eloges*, coll. « Poésie », © 1966.

Jules SUPERVIELLE, « Un poète », extrait de *Les Amis inconnus*, coll. « Blanche », © 1934.

Jean TARDIEU, « Feintes nécessaires », extrait de *Le Témoin invisible*, 1943, repris dans *Le Fleuve caché*, © 1968 ; « Voyage avec Monsieur Monsieur », extrait de *Monsieur Monsieur*, 1951, repris dans *Le Fleuve caché*, © 1968 ; « Complainte du verbe être », extrait de *Comme ceci comme cela*, 1979, repris dans *L'accent grave L'accent aigu*, coll. « Blanche », © 1939.

Paul VALÉRY, « Les pas », extrait de *Charmes*, coll. « Blanche », © 1952.

Robert Laffont/Pierre Seghers

Louis ARAGON, « Elsa au miroir », extrait de *La Diane française*, © 1965.

Le Mercure de France

Francis JAMMES, « Prière pour aller au paradis avec les ânes », extrait du *Deuil des primevères*, © 1901, et « Par le petit garçon », extrait de *L'Église habillée de feuilles*, in *Clairières dans le ciel*, © 1906.

Pierre Jean JOUVE, « Magie », extrait de *Les Noces*, coll. « Poésie », © 1964.

Les Éditions de Minuit

Paul ELUARD, « Comprenne qui voudra », et « En plein mois d'août », extraits de *Au rendez-vous allemand*, © 1976.

Paul ELUARD, « Liberté », extrait de *Poésie et vérité*, © 1942.

Présence africaine

Birago DIOP, « Viatique », extrait de *Leurres et Lueurs*, © 1967.

Le Seuil

Léopold Sédar SENGHOR, « In memoriam », « Joal » et « Femme noire », extraits de *Chants d'ombre*, in *Poèmes*, © 1964.

Table

Table   189

DEUXIÈME PARTIE

LES AVENTURES DE L'ÉCRITURE

Table   191

Crédit photos

J.-L. Charmet, pp. 54, 67, 83.
Roger-Viollet, p. 99.

Composition réalisée par C.M.L., Montrouge.

IMPRIMÉ EN FRANCE PAR BRODARD ET TAUPIN
Usine de La Flèche (Sarthe).
LIBRAIRIE GÉNÉRALE FRANÇAISE - 43, quai de Grenelle - 75015 Paris.

ISBN : 2 - 253 - 04015 - 0   ◈ 30/4277/7